Omslag & Binnenwerk: Buronazessen - concept & vormgeving

Drukwerk: Hooiberg Haasbeek, Meppel

ISBN 978-9086601646

© 2011 Uitgeverij Ellessy
Postbus 30227
6803 AE Arnhem
www.ellessy.nl

De weg terug

OLGA VAN DER MEER

FAMILIEROMAN

ELLESSY
RELAX

HOOFDSTUK 1

"Ik moet je iets vertellen." Paula Scheepmaker trommelde nerveus met haar vingers op het tafelblad. Haar twaalfjarige dochter Nicole keek op van het boek dat ze aan het lezen was.

"Je hebt een vriend." Het klonk kalm en berustend.

Verbaasd keek Paula haar aan. Haar vingers staakten het rusteloze tikken. "Hoe weet jij dat?"

Nicole trok met haar schouders. "Het was nogal duidelijk. Je bent haast nooit meer thuis de laatste tijd, je maakt je veel meer op dan anders en je zit uren aan de telefoon als ik boven zit en je denkt dat ik niets hoor." Het klonk niet verwijtend, ze constateerde het slechts als feiten.

Schuldbewust sloeg Paula haar ogen neer. Haar dochter had wel gelijk. Wat aandacht betrof werd Nicole nog weleens verwaarloosd, zeker sinds ze Thijs had ontmoet. Maar het was ook zo moeilijk allemaal. Sinds Dick, de vader van Nicole, twee jaar terug was overleden, was het leven een constante strijd voor Paula geweest. Ze kon heel slecht tegen de eenzaamheid waar ze plotseling in beland was, en de zorg voor Nicole was niet genoeg om haar leven weer inhoud te geven.

"Vind je het moeilijk?" vroeg ze na een lange stilte.

Weer dat schoudergebaar van Nicole. "Niet echt," antwoordde ze eerlijk. "Papa is al twee jaar dood. Ik hoop dat het een leuke man is."

"Natuurlijk is hij dat," ging Paula daar dankbaar op in.

Ze ging voorbij aan het feit dat dit een zeer volwassen reactie was voor een kind van twaalf dat nog dagelijks verdriet had omdat ze haar vader zo miste. Gedwongen door de omstandigheden was Nicole in sneltreinvaart veranderd van een zorgeloos kind in een wat ouwelijke tiener die nooit uit de band sprong, goed haar best deed op school en thuis haar eigen gang ging bij gebrek aan goede zorg en controle. Haar moeder leidde haar eigen leven sinds het overlijden van haar vader en Nicole had geleerd zichzelf te redden. Ze moest wel.

Paula ontvluchtte het stille huis zoveel ze kon. Nicole was tien toen het drama binnen hun gezin zich voltrokken had, oud genoeg om een paar uur alleen thuis te kunnen blijven, meende ze. Die paar uur ontaardden al snel in hele avonden en soms zelfs nachten. Het ging goed thuis, Nicole klaagde nooit, dus waarom niet? Als haar dochter er een probleem van zou maken dat ze zo veel alleen was, zou zij vaker thuis blijven, had Paula zichzelf wijsgemaakt. Nicole zei er echter nooit iets over.

Paula had geen weet van de angst die Nicole soms voelde op donkere winteravonden, als de wind om het huis gierde en geluiden veroorzaakte die ze niet kende. Ze wist niet hoe gespannen Nicole vaak recht overeind in bed zat als ze meende dat ze iets bij de voordeur had gehoord. Ze had geen flauw benul van de slapeloze nachten die haar dochter had omdat haar moeder niet op de afgesproken tijd thuiskwam. Zolang Nicole niet klaagde ging het goed met haar, was Paula's gemakzuchtige opinie. Tenslotte was ze geen klein kind meer.

"Hij heet Thijs," vervolgde Paula. "Ik heb hem ontmoet op een feestje van mijn werk. Hij is filiaalhouder van één van de vestigingen van de supermarkt. Jij zult hem ook vast aardig vinden."

"Wanneer krijg ik hem te zien?"

"Nou eh…" Paula aarzelde even voor ze verder praatte. "Hij komt straks hierheen. Eigenlijk eh… Nou ja, hij komt hier wonen."

"Wat? Nu? Zomaar?" vroeg Nicole met grote ogen.

"Ik ken hem al een tijdje," verdedigde Paula zichzelf. "Om eerlijk te zijn is hij getrouwd. Zijn vrouw is er gisteren achter gekomen dat hij een verhouding met mij heeft en zij vond dat hij moest kiezen tussen haar en mij. Hij heeft voor mij gekozen." Dat laatste kwam er triomfantelijk uit, in een volledig voorbijzien aan het verdriet dat ze de wettige echtgenote van haar vriend berokkende. "Het gevolg daarvan is wel dat hij nu zijn huis uit moet, vandaar dat hij hier intrekt. Maak je geen zorgen, Nicole. Ik weet zeker dat je goed met hem overweg kunt."

"Ik zal het wel zien." Nicole klapte haar boek dicht en stond op. Zonder iets van haar emoties te laten merken liep ze de kamer uit. Pas in haar eigen kamertje, languit op haar bed gelegen, verdween het masker van uitdrukkingsloosheid en sloeg ze haar handen voor haar gezicht.

Alweer werd ze zonder enige voorbereiding voor een enorme verandering in haar leven geplaatst. Twee jaar geleden toen haar vader overleed en nu omdat er een andere man in huis kwam wonen. Zij had daar blijkbaar niets over te vertellen. Maar ach, dat had ze kunnen weten. Haar moeder hield nooit rekening met haar wensen, dacht ze bitter. Die ging haar eigen gang en verwachtte dat zij, Nicole, zich overal bij aanpaste. Dat deed ze dan ook altijd. Veel keus had ze overigens niet. Ze kon haar moeder moeilijk dwingen om aandacht aan haar te besteden.

Vroeger was het wel anders geweest, mijmerde Nicole. Ze pakte

een paar kussens van haar bed en legde ze in de brede vensterbank. Dit was een geliefkoosd plekje van haar. Ze maakte hier
vaak haar huiswerk, las er de boeken die ze met stapels tegelijk
uit de bibliotheek haalde of zat er soms gewoonweg naar buiten
te kijken. Haar eigen kamertje was haar toevluchtsoord geworden sinds die ene noodlottige dag toen haar vader aangereden
was door een bus en ter plekke overleed. Sinds die dag was alles
veranderd. Alle vrolijkheid en liefde waren sindsdien uit haar
leven verdwenen.

Dick was de spil van het gezin geweest. Ondanks zijn fulltime
baan was hij er altijd voor haar geweest. Vaak kookten ze samen de avondmaaltijd, omdat Paula daar een hekel aan had. Die
uurtjes met haar vader in de keuken waren nu een dierbare herinnering voor Nicole. Ze kon hem alles vertellen. Kleine voor-
vallen op school, ruzietjes met vriendinnen, het feit dat een klas-
genootje stoer pochte dat ze rookte en haar had geprobeerd over
te halen met haar mee te doen, maar ook haar gevoelens van
angst als ze op het jeugdjournaal had gehoord over overvallen en
vechtpartijen die uit waren gelopen op de dood. Dick wist haar
altijd weer op te beuren en aan het lachen te maken.

Sinds hij overleden was had ze nooit meer echt gelachen. Nicole
was die eerste tijd, overmand door verdriet, veranderd in een stil
teruggetrokken meisje. Haar vriendinnetjes op school hadden
daar na hun eerste blijken van medelijden geen begrip voor op
kunnen brengen en langzaam maar zeker was ze alleen komen te
staan in de klas. Haar dansclubje, waar ze twee jaar lang trouw
iedere dinsdagavond heen was gegaan, had ze moeten opzeggen
omdat Paula geen rijbewijs had en geen zin had om daar iedere

week heen te fietsen. Haar vader had haar daar altijd naar toe gebracht. Soms ging hij dan terug naar huis om haar twee uur later weer op te halen, maar meestal bleef hij in een hoekje van de grote zaal zitten kijken. De trots was dan van zijn gezicht af te lezen geweest als hij toekeek hoe ze de moeilijke passen uitvoerde. Haar vader was echt haar maatje geweest. Soms huurde hij een paar leuke films en zaten ze samen een hele zaterdagmiddag tv te kijken, met iets lekkers erbij, allebei gierend van het lachen om de komische scènes die zich voor hun ogen afspeelden.

Paula stond heel anders in het leven. Zij werd vaak rusteloos van het 'huisje, boompje, beestje gevoel', zoals zij het noemde. Ze liet vader en dochter regelmatig 's avonds samen thuis om zelf met haar vriendin te gaan stappen, iets waar Dick overigens geen enkel probleem van maakte. Ondanks die verschillen hadden ze met zijn drieën een leuk gezin gevormd. Paula en Dick hielden elkaar in evenwicht en er werd in huis veel gelachen. Haar ouders hielden van elkaar, een veilige wetenschap voor de opgroeiende Nicole.

Hoewel ze met haar moeder lang niet zo'n goede band had als met haar vader, hoorden zij drieën bij elkaar. Nu was dat anders. De eenheid was verbroken op het moment dat Dick begraven werd. Sinds die dag waren Paula en Nicole twee mensen die in hetzelfde huis woonden, maar die weinig met elkaar gemeen hadden. De band werd losser en losser. Ondanks Nicole's prille leeftijd werd ze op zichzelf teruggeworpen, zowel op school als thuis.

Terwijl Paula ervan overtuigd was dat Nicole het verdriet om haar vader had verwerkt, lag Nicole vaak urenlang in het donker stilletjes te huilen. Ze miste hem zo enorm dat het niet in woorden uit te drukken was. Mét haar vader was ze ook liefde, warmte, gezelligheid en veiligheid kwijtgeraakt. Soms had ze zich wanhopig afgevraagd waarom het juist hem moest overkomen. Waarom was het niet haar moeder geweest die onder die bus was gelopen? Meteen voelde ze zich dan weer schuldig vanwege die gedachten, waarna ze extra haar best deed om haar moeder vooral geen last te bezorgen. Zonder de reden daarvan te weten maakte Paula daar handig gebruik van.

Ook haar leven was veranderd nu ze haar plechtanker kwijt was. Ze worstelde zich door de dagen heen, als een drenkeling op volle zee. Dick was haar houvast geweest, de man die haar op het goede spoor hield en tevens de man die ervoor had gezorgd dat zij met zijn drieën een echt gezin waren geweest. Zonder hem kon ze dat niet. Zelf was ze opgegroeid in kindertehuizen en pleeggezinnen, ze had nooit echte, moederlijke liefde ervaren en wist niet hoe ze dat aan haar dochter moest geven. Dankzij Dick gaf dat niet en kwam Nicole niets tekort.

In Dicks familie was ze destijds hartelijk ontvangen en in de jaren die volgden had ze zich zowaar geliefd en veilig gevoeld. Haar zelfvertrouwen groeide. Dat alles werd echter in één klap weggevaagd op die noodlottige dag. Om de eenzaamheid te ontvluchten en haar wanhoop de baas te worden had Paula zich in het uitgaansleven gestort, een houding die haar door Dicks familie niet in dank werd afgenomen. Na een heftige ruzie was er een breuk ontstaan die niet meer te lijmen was en waar vooral Nicole de dupe van werd.

Enkele seconden waarin Dick niet oplette zorgden op deze manier voor wanhopig verdriet en talloze veranderingen, in negatieve zin. Een hele familie uit elkaar gespat na het wegvallen van één man.

De deur van Nicole's kamer kierde open, Paula keek naar binnen.

"Thijs belde net. Hij komt over ongeveer een uur," zei ze. Ze kwam de kamer binnen en sloot de deur achter zich. Aarzelend keek ze naar Nicole's gesloten gezicht. "Weet je zeker dat je er geen probleem mee hebt?" vroeg ze voorzichtig.

"Hoezo? Laat je hem niet binnen als ik daar nu 'ja' op antwoord?" vroeg Nicole spottend.

"Nou ja, jij woont hier ook. Ik besef heus wel dat het voor jou ook niet meevalt."

"Dat is dan voor het eerst," zei Nicole cynisch.

Paula verlegde een kussen en kwam naast haar dochter in de vensterbank zitten.

"Ben ik werkelijk zo'n slechte moeder voor je?" vroeg ze ineens hulpeloos.

"Je was wel leuker toen papa nog leefde," antwoordde Nicole verrassend eerlijk.

"We waren allemaal beter af toen je vader nog leefde, maar dat is nu eenmaal niet meer zo." Er verscheen een afwijzende trek op Paula's gezicht, zoals zo vaak wanneer Nicole het gespreksonderwerp op Dick bracht.

"Waarom wil je nooit over papa praten?" vroeg Nicole impulsief. Ze legde haar boek opzij en keek haar moeder afwachtend aan. Voor het eerst sinds lange tijd hing er een vertrouwelijke sfeer tussen hen, misschien konden ze nu eens een echt gesprek voeren.

Paula beet op haar onderlip. Haar grijze ogen dwaalden naar het raam. "Als ik over hem praat mis ik hem nog meer," zei ze zacht.

"Dus jij mist papa ook?" Nicole was verrast door dit antwoord. Haar moeder liet nooit blijken verdriet te hebben. Ze dwarrelde zorgeloos door het leven, zoveel mogelijk pleziertjes najagend.

"Meer dan jij denkt, krielkip." Paula lachte even en woelde door Nicole's haar, een zeldzaam blijk van genegenheid. "Het leven valt niet mee zonder hem, hè?"

"Soms droom ik dat hij er nog gewoon is en als ik dan wakker word is het heel even of er niets gebeurd is," zei Nicole peinzend. "Maar altijd komt even later dan het besef dat het een droom was."

"Ik ken dat," knikte Paula. "Dat ene moment van onwetendheid is heerlijk, daarna volgt de klap."

"Maar als jij papa ook zo mist, waarom komt Thijs hier dan wonen?" wilde Nicole weten. "Ik bedoel…"

"Ik weet wat je bedoelt," viel Paula haar dochter in de rede. "Thijs is voor jou geen vervanging voor je vader, want een vader is niet te vervangen. Een partner wel. Ik heb veel van je vader gehouden, Nicole, vergeet dat nooit. Zijn dood heeft een enorme leegte achtergelaten, ik ben eenzaam."

"Je hebt mij nog," waagde Nicole te zeggen.

Paula schudde haar hoofd. "Dat is iets anders. Ik wil heel graag weer een gezin vormen met een man erbij. Me weer compleet voelen, liefde ervaren." Weer staarde ze uit het raam, vergetend dat ze tegen een twaalfjarig kind sprak en niet tegen één van haar vriendinnen. Nicole was dat echter wel gewend. Het gebeurde vaker dat Paula zulke gesprekken met haar voerde, waardoor ze wijzer was dan haar meeste leeftijdgenootjes. "Thijs is aardig, hij heeft gevoel voor humor en hij houdt van kinderen. Misschien wordt het met hem wel weer een beetje zoals vroeger."

Nicole zei niet wat ze dacht, namelijk dat ze dat ten zeerste betwijfelde. Ze kon zich niet voorstellen dat ze ooit weer zo'n goede band met iemand kon opbouwen als ze met haar vader had gehad. Zeker niet met een vreemde man. Maar dat kon ze haar moeder beter niet zeggen.

"Ik hoop het," zei ze dus slechts.

Paula pakte haar handen vast en kneep er even in. "Als we er samen voor gaan, moet het lukken," sprak ze met meer zekerheid dan ze voelde. "Ik weet dat jij me zult helpen, Nicole. Doe alsjeblieft een beetje aardig tegen Thijs. Ik wil dat hij zich hier thuis voelt." Ze stond op, het vertrouwelijke moment was alweer voorbij. "Ik roep je wel als hij er is."

Ze liep weg om het huis in orde te maken voor de komst van Thijs. Haar bed werd verschoond, ze trok de stofzuiger door het huis en ze ruimde wat tijdschriften en losse spullen op. Het moest netjes zijn voordat hij kwam. De zeldzame keren dat hij over zijn vrouw gesproken had, vertelde hij dat ze een echt huismoedertje was die het heerlijk vond om het huishouden te bestieren. Op dat gebied mocht hij er niet op achteruit gaan. Er moest niets zijn wat hem tegen kon vallen, niets.

Keurend keek Paula om zich heen. De meubels blonken haar stofvrij tegemoet, de verse bloemen op tafel geurden heerlijk en de ramen waren streeploos schoon. Alles was klaar om Thijs te ontvangen. Ze kneep haar handen gespannen samen. Als het maar goed ging tussen hen, daar had ze alles voor over.

Hoewel ze voor de buitenwereld een vrolijk, oppervlakkig leven leidde, dreigde de eenzaamheid haar vaak genoeg te overspoelen. Thijs moest daar een eind aan maken. Ze wilde niets liever dan een stabiele relatie met een man die bereid was voor haar en haar dochter te zorgen. Iemand die haar het gevoel gaf dat ze nodig en geliefd was. Tot nu toe had Thijs haar dat gevoel nog niet echt gegeven, moest ze eerlijk bekennen. Ze was zijn liefje voor erbij, de vrouw op de achtergrond met wie hij niet in het openbaar gezien mocht worden. Ze had een paar keer op het punt gestaan hun relatie te beëindigen, maar het nooit echt aangedurfd. Een half ei was beter dan een lege dop. Dat hij nu uiteindelijk toch voor haar gekozen had, was als een volslagen verrassing gekomen. Ze had geen moment getwijfeld en onmiddellijk haar deur voor hem opengezet toen hij vertelde dat hij bij zijn vrouw wegging omdat hij haar, Paula, niet kon missen.

Nieuwe hoop op een gelukkige toekomst had haar hart vervuld en alle eventuele bedenkingen had ze meteen de kop ingedrukt. Thijs koos voor haar, nu was het dus aan haar om te zorgen dat hij bleef. Eindelijk zou ze weer een eenheid vormen met een man, in plaats van in haar eentje stuurloos rond te dobberen. Na Dicks overlijden was ze haar greep op het leven kwijtgeraakt, Thijs moest haar dat weer teruggeven.

Zenuwachtig nam ze plaats voor het raam, om zijn aankomst vooral niet te missen. Hij had nog geen sleutel en ze wilde niet dat hij aan moest bellen, als de eerste de beste vreemde.

Ook Nicole zat boven nog steeds voor het raam, ten prooi aan tegenstrijdige gevoelens. De hoop van haar moeder kon ze niet delen, toch was er een vaag gevoel van verwachting in haar hart. Zoals met haar vader kon het nooit meer worden, maar misschien zou de situatie wel verbeteren ten opzichte van nu. Haar moeder zou in ieder geval vaker thuis zijn, dat was zeker. Dan zou er tenminste een einde komen aan die lange, donkere, angstige avonden en nachten waarin ze niet kon slapen omdat ze bang was voor inbrekers. Misschien zou het zelfs weer een beetje gezellig worden in huis.

Er stopte een grote, zwarte wagen voor het huis. Dat moest hem zijn, want ze zag haar moeder haastig het tuinpad oplopen om hem te begroeten. Gespannen drukte Nicole haar gezicht tegen de ruit. Voor zover ze dat van een afstand kon zien zag hij er best aardig uit, moest ze toegeven. Hij was lang, had donker haar en zat strak in het pak. Anders dan haar vader, die het liefst spijkerbroeken en truien had gedragen. Maar waarschijnlijk was het beter dat hij niet op haar vader leek, dacht Nicole met een wijsheid die ver boven haar leeftijd uitstak.

Thijs keek even omhoog en zag haar staan. Spontaan stak hij zijn hand op. Aarzelend beantwoordde Nicole dat gebaar, waarop hij begon te lachen en iets tegen haar moeder zei. Paula keek nu ook omhoog, ook zij lachte. Het was lang geleden dat Nicole haar moeder zo gelukkig had gezien en dat verzoende haar met alles wat er zo onverwacht op haar afkwam. Ze moest de feiten maar accepteren zoals ze waren en er het beste van maken, iets anders zat er niet op. Het verleden was nu eenmaal voorgoed voorbij, er was geen weg meer terug naar het gezinsleven van vroeger. Ze moest het doen met het gezinsleven van nu, hoe dat ook uit zou pakken.

HOOFDSTUK 2

Het viel niet tegen. Na de eerste onwennige, moeizame weken moest Nicole dat toegeven. Zij zou zelf nooit op een dergelijke man kunnen vallen, maar als plaatsvervangend vader sloeg hij helemaal niet zo'n gek figuur. Zelf had hij geen kinderen. Wel veel neefjes en nichtjes van diverse leeftijden, waar hij veel mee optrok, vertelde hij Nicole. Ervaring met kinderen had hij dus wel, wat te merken was aan de manier waarop hij Nicole de eerste dagen benaderde. Hij drong zich niet aan haar op, gaf eerlijk antwoord op haar vragen, deed niet te aanhalig tegen Paula als Nicole erbij zat en liet merken gevoel voor humor te hebben zonder de populaire man uit te hangen. Al snel konden ze goed met elkaar overweg. Nicole waardeerde het dat hij zich behoudend opstelde en op zijn beurt was Thijs blij met de volwassen houding van Nicole.

"Eigenlijk was ik bang dat je zo'n stierlijk vervelend kind zou zijn dat er alles aan zou doen om die indringer in huis weg te pesten," vertrouwde hij haar op een dag toe. "Je hoort vaak dergelijke verhalen. Eerlijk gezegd kreeg ik best de bibbers toen je moeder me vertelde dat ze een twaalfjarige dochter heeft. Gelukkig val je mee in het gebruik." Hij grijnsde haar vrolijk toe.

Ze waren samen in het park aan het picknicken. Nicole had zeven weken vakantie van school voordat ze overstapte naar het middelbaar onderwijs. Paula's drie vakantieweken gingen pas over twee weken in, maar Thijs had de eerste maand van de schoolvakantie vrij genomen. Dat was al ruim van tevoren gepland, voordat er sprake van was dat hij zijn echtelijke woning zou verlaten. De geboekte vakantie met zijn vrouw was geannuleerd, dus bracht hij momenteel zijn dagen door met Nicole. Hun band groeide er wel door, ze leerden elkaar meteen goed kennen.

"Waarom heb jij geen kinderen?" vroeg Nicole ronduit. Ze nam een hap van haar broodje en keek hem afwachtend aan.

"Het is er nooit van gekomen. Lydia en ik hebben nooit zo'n sterke neiging gehad om ons voort te planten. Ze heeft een goede baan, maakt lange dagen. We gingen vaak weg. Een kind paste nooit zo in dat plaatje," antwoordde Thijs peinzend. "Lydia is acht jaar jonger dan ik. Misschien was het er toch ooit wel van gekomen, maar ja…" Hij maakt een vaag gebaar met zijn hand.

"Maar je hebt haar in de steek gelaten," vulde Nicole nuchter aan.

Thijs keek haar van opzij aan. "Dat klinkt niet aardig."

"Het is wel de waarheid. Waarom eigenlijk? Hadden jullie vaak ruzie?" ging Nicole verder met de drammerigheid van de jeugd.

Het duurde een tijdje voor Thijs daar antwoord op gaf. Zijn gedachten gleden terug naar de laatste maanden van zijn huwelijk. Nee, ruzies waren er bijna niet geweest. Nooit eigenlijk. Lydia en hij gingen ieder hun eigen gang. Zij was weinig thuis in verband met haar werk, maar hij zorgde er wel voor dat hij zich vermaakte. Voor Paula had hij meerdere vriendinnen gehad, Lydia had dat nooit gemerkt.

Het leven beviel hem best zo. Thuis een vrouw die er, naast haar baan, genoegen in schepte het huis schoon en gezellig te houden en heerlijke maaltijden op tafel zette, buiten de deur altijd wel iemand die zijn lichamelijke verlangens bevredigde. Hij had het goed voor elkaar, tot hij uit overmoed onzorgvuldig werd en Lydia de rekening van de hotelkamer vond die hij met Paula had gedeeld. Vergeten uit zijn zak te halen, hoewel hij wist dat ze altijd zijn zakken nakeek voordat ze zijn broeken in de wasmachine stopte.

Maar zelfs dat had geen ruzie veroorzaakt. Lydia had hem slechts ijskoud te kennen gegeven dat hij kon vertrekken. Zijn smeekbedes, bezweringen dat het slechts één keer voorgekomen was, spijtbetuigingen en de belofte om het nooit meer te doen, hadden niet geholpen. Zonder enige vorm van discussie was het afgelopen. Ze had zijn spullen in twee grote koffers gepakt en geëist dat hij binnen een week hun huis moest verlaten.

Hij had niet anders kunnen doen dan naar Paula toe gaan, die hij uiteraard niet de ware toedracht had verteld. Na zijn verhaal aan haar dat hij voor haar gekozen had omdat hij haar niet kon missen, had ze haar deur wagenwijd voor hem open gezet. Hij moest toch iets, al vond hij diep in zijn hart dat Paula niet aan Lydia kon tippen. Ze zag er weliswaar altijd perfect verzorgd uit en had een geweldig lijf, maar geen eigen persoonlijkheid. Haar parttime baan als caissière in de supermarkt stelde in zijn ogen weinig voor en verdere ambities bezat ze niet. Ze leefde om het hem naar de zin te maken, iets wat hij zich genoeglijk aan liet leunen, maar wat hem ook benauwde. Paula hing als een klit aan hem, in tegenstelling tot Lydia.

Maar dit verhaal kon hij moeilijk aan de twaalfjarige Nicole vertellen. "We waren uit elkaar gegroeid," zei dan ook, zoekend naar woorden. "Soms zijn huwelijken niet wat je er van tevoren van verwacht had."

"En toen werd je verliefd op mijn moeder," constateerde ze.

Weer zweeg hij. Verliefd? Hij fronste zijn wenkbrauwen. Zo zou hij dat niet willen noemen. Paula had hem opgewonden met haar heerlijke lichaam. Het was pure lust die hem in haar armen gedreven had, andere gevoelens kwamen daar niet bij kijken.

"Ja," zei hij desondanks. "Het is niet netjes, dat weet ik, maar soms gebeurt dat."

Nicole draaide de dop van een fles cola af en schonk twee plastic bekertjes vol, waarvan ze er één aan hem overhandigde. Zonder hem aan te kijken vervolgde ze: "Dus eigenlijk kun je nog wel een keer verliefd worden op een andere vrouw en ons ook verlaten."

"Dat is niet mijn bedoeling," zei Thijs niet helemaal naar waarheid. "Al kan ik natuurlijk nooit garanderen dat het niet gebeurt. Die garantie kan niemand je geven, Nicole. Niemand weet van tevoren wat er in het leven gaat gebeuren."

"Dat weet ik," knikte ze.

"In ieder geval ben ik nu bij jullie en dat bevalt me prima. Ik had het niet verwacht, maar ik vind het best fijn om een grote dochter te hebben," maakte Thijs zich er met een grapje vanaf. Het onderwerp benauwde hem en hij wilde er zo snel mogelijk vanaf. Nicole glimlachte. Thijs was weliswaar niet haar vader, toch was het prettig om weer eens dochter genoemd te worden. Thijs gaf haar in ieder geval het gevoel dat ze erbij hoorde, hij beschouwde haar niet als een lastig aanhangsel die toevallig ook in het huis van zijn vriendin woonde. Ze was er best bang voor geweest dat het zo zou gaan.

In de twee jaar sinds haar vader overleden was, had haar moeder vaker vrienden gehad. Vaak maar voor één nacht, soms duurde het wat langer. Nicole had in de afgelopen periode heel wat vogels van diverse pluimage langs zien komen in huis en zonder uitzondering hadden ze haar allemaal genegeerd. Soms voelde ze zich gewoonweg onzichtbaar als ze aan de ontbijttafel zat met een man wiens naam ze niet eens wist.

"Heb je alles op? Kom, dan gaan we sportief doen." Thijs sprong overeind en pakte de badmintonrackets en de shuttle die ze mee hadden genomen. Het was een windstille dag, prima weer dus om te badmintonnen. "Even alle calorieën er weer af rennen die je net naar binnen hebt zitten werken."

"Twee broodjes en een appel," blies Nicole verontwaardigd. "Nauwelijks de moeite."

"Aha, je durft niet," plaagde hij.

Dat liet ze zich natuurlijk niet zeggen. Lenig kwam ze overeind van het kleed. "Kom maar op dan. Hoe laat komt mama?"

"Ze werkt tot twee uur, dus ze zal er met een klein kwartier wel zijn, vermoed ik," zei Thijs met een blik op zijn horloge. Jammer genoeg, voegde hij daar in gedachten aan toe. Hij vond het wel gezellig zo samen met Nicole. Die zeurde tenminste niet zo aan zijn hoofd. Nicole was leuk gezelschap, ondanks haar jeugdige leeftijd. Ze was erg verstandig voor een twaalfjarige en hij had allang gemerkt dat er goede gesprekken met haar te voeren waren. Ze nam niet alles voor zoete koek aan en dacht wel degelijk zelf goed na. Waarschijnlijk had ze de hersens van haar vader geërfd, dacht Thijs, want haar moeder waaide met alle winden mee. Die was het per definitie met hem eens, alsof ze niet voor haar eigen mening uit durfde te komen.

Met kracht sloeg hij de shuttle naar Nicole en waarderend merkte hij dat ze hem zonder enige moeite terugsloeg. Het werd best een pittig partijtje. Nicole had meer kracht in haar armen dan hij verwacht had en ze retourneerde de shuttle niet met zo'n kinderlijk boogje, maar met strakke slagen. Bovendien richtte ze niet naar één kant, maar liet ze hem letterlijk heen en weer rennen.

"Dit heb je vaker gedaan," hijgde hij.

"We spelen het vaak op school, bij de gymles. Ik vind het heerlijk om te doen," legde ze uit.

"Dat blijkt. Maar ik krijg je nog wel, jongedame. Ik laat me natuurlijk niet zo makkelijk verslaan."

"O nee? Probeer deze maar te halen dan." Ze gooide de shuttle in de lucht en sloeg hem vervolgens met zoveel kracht weg dat hij, mede door een kleine windvlaag die net de kop opstak, ver over Thijs heen vloog en enkele meters verder bij twee zonnende vrouwen in bikini op de grond belandde.

"Goed gemikt," hoonde Thijs. Hij draaide zich om en liep naar de vrouwen toe. Een van hen, een blonde met een fantastisch lichaam, merkte hij met een snelle blik op, kwam overeind en lachte naar hem.

"Wat een energie op zo'n warme dag. Waar haal je de moed vandaan?" zei ze.

"Ik sport graag," gaf hij enigszins zelfvoldaan terug.

"Dat is te zien." Ze liet haar ogen over zijn lichaam glijden en tot zijn voldoening zag hij dat ze goedkeurend knikte.

Hij bukte om de shuttle op te rapen, maar de jonge vrouw rekte zich net naar voren om hetzelfde te doen, waarbij hij een riant uitzicht op haar goed gevulde bikinitopje had. Hij kreeg het warm bij deze aanblik. Als Nicole er niet bij was geweest was hij ongetwijfeld naast haar in het gras gaan zitten om een gesprekje aan te knopen.

"Thijs!" klonk ineens de schelle stem van Paula achter hem. "Ik ben er. Kom je?"

Zonder zich om te draaien maakte hij een grimas.

"Woef, woef, terug aan de riem," spotte de vrouw. Haar vriendin naast haar schoot in de lach.

"Dank je," mompelde Thijs terwijl hij de shuttle uit haar handen griste en wegliep.

Paula zat op het kleed, ze schikte zorgvuldig haar rok over haar benen. Wantrouwig keek ze hem aan.

"Wie is dat?" vroeg ze meteen zodra hij binnen gehoorsafstand was.

Thijs haalde zijn schouders op. "Geen idee. Ze gaf me alleen de shuttle aan die op de grond was gevallen."

"Wel toevallig dat die precies naast een half blote vrouw belandde," zei Paula sarcastisch.

"Stel je niet zo aan," reageerde hij korzelig. "Ik ken dat hele mens niet. Voor de plaatsbepaling van de shuttle moet je overigens bij Nicole zijn, die sloeg hem. Waar is ze trouwens ineens gebleven?" Zoekend keek hij om zich heen.

"Naar het toilet." Paula wees naar het paviljoen aan de rand van het grasveld. "Krijg ik iets te drinken van je?"

"Heb je zelf geen handen?" vroeg hij grof. Desondanks pakte hij de fles cola, wierp daarbij snel een blik in de richting van de twee vrouwen. Ze keken ook naar hem en giechelden, zag hij. Genegeerd draaide hij zijn hoofd weg. Waarom moest Paula nou net op dat moment aan komen? Haar jaloerse, bezitterige aard dacht er natuurlijk weer van alles van en dat kwam de stemming tussen hen niet ten goede. Hij gaf haar het bekertje en zwaaide naar Nicole die terug kwam lopen.

"Spelen we nog verder?" vroeg ze, het racket oppakkend en omhoog houdend.

"Welja, waarom niet?" antwoordde hij nonchalant. Hij pakte ook zijn eigen racket op en liep terug naar hun speelplek, onwillekeurig toch weer naar de twee vrouwen kijkend.

Paula kneep haar ogen tot spleetjes. Ze kende deze blik van hem en het beviel haar niets dat die voor een andere vrouw bestemd was dan zijzelf. "Doen jullie niet zo ongezellig," verzocht ze. "Laten we iets anders gaan doen, iets met zijn drieën. Op deze manier zit ik er voor spek en bonen bij."

"Midgetgolf," riep Nicole meteen enthousiast. "Ken je dat, Thijs?"

"Ik vind het best," stemde hij toe.

Paula kwam al overeind. "Nu meteen dan maar, anders wordt het zo laat," haastte ze. Hoewel ze dergelijke spelletjes haatte, was alles beter dan hier op het grasveld, bezaaid met half ontkleedde vrouwen, te blijven zitten. Ze begon de spullen al bij elkaar te rapen voor Thijs de kans kreeg te protesteren.

De midgetgolfbanen lagen aan de andere kant van het park. Ze zetten de spullen in de auto en liepen er op hun gemak naar toe. Paula greep de hand van Thijs vast, zodat iedereen goed kon zien dat ze bij elkaar hoorden. Ondanks dat hij nu bij haar woonde voelde ze zich nog steeds onzeker over zijn gevoelens voor haar. Het was zo anders dan destijds met Dick. Tussen hen waren ook veel verschillen geweest en hun huwelijk was echt niet altijd van een leien dakje gegaan, maar hij had haar wel het gevoel gegeven dat ze de belangrijkste vrouw op aarde was voor hem, iets wat bij Thijs volledig ontbrak. Bij Dick was ze nooit jaloers of wantrouwig geweest, simpelweg omdat hij haar daar nooit redenen voor gegeven had. Bij Thijs was dat wel anders. Ze had heel goed gezien hoe begerig hij naar die twee vrouwen gekeken had, een blik die primitieve, bezitterige gevoelens bij haar had losgemaakt. Hun basis was natuurlijk ook niet ideaal, dat moest zij zelfs toegeven. Het feit dat hij zijn vrouw had bedrogen met haar, stelde haar niet bepaald gerust. Het gaf in ieder geval aan dat hij trouw niet hoog in zijn vaandel had staan. Ze zou heel hard haar best moeten doen om het voor Thijs aantrekkelijk te houden bij haar te blijven, daar was Paula zich terdege van bewust.

Omdat hij duidelijk plezier had in het spelletje midgetgolf, deed zij ook net of ze het leuk vond, hoewel ze eigenlijk wel betere dingen kon verzinnen om in haar vrije tijd te doen. Nicole genoot er in ieder geval van. Het was heel lang geleden dat ze zoiets dergelijks hadden gedaan samen. De laatste keer dat ze met Nicole op stap was geweest was toen Dick nog leefde, zoals bijna alles in hun leven terug te voeren was naar die tijd. Hun leven was opgesplitst in een periode met Dick en een periode zonder Dick. Zijn overlijden was een breekpunt geweest, hun kleine gezin was daarna finaal uit elkaar gevallen.

Paula was blij toen ze alle achttien banen hadden gehad, al liet ze niets van haar opluchting merken. Aanhalig stak ze haar arm door die van Thijs. "Zullen we deze dag afsluiten met een etentje in het paviljoen? Het is zo gezellig, het zou jammer zijn om nu al op te breken."

"Heb jij daar ook zin in?" vroeg Thijs aan Nicole.

Ze knikte uitgelaten. "Natuurlijk. Patat met saté, dat is een stuk lekkerder dan dat voer wat mama ons voorzet en wat ze ook eten noemt."

Ze schoten samen hartelijk in de lach. Paula lachte zuurzoet mee. Ze kon deze opmerking van haar dochter niet echt waarderen, maar wist dat Thijs het haar kwalijk zou nemen als ze er boos om werd. Hij maakte haar vaker verwijten wat haar omgang met Nicole betrof. Ze schonk te weinig aandacht aan haar dochter en had geen belangstelling voor haar, had hij haar pas nog gezegd. In ieder geval hoefde ze vandaag niet te koken, die wetenschap zorgde ervoor dat haar humeur niet onder het nulpunt zakte. Ze had er een verschrikkelijke hekel aan om iedere dag een maaltijd op tafel te zetten die lekker en gezond was. Voordat Thijs in haar leven kwam hadden ze vaak gewoon brood gegeten, patat gehaald of kant en klare magnetronmaaltijden opgewarmd. Hij was op dit gebied echter verwend bij Lydia, die koken als hobby had en Paula wilde niet voor haar voorgangster onderdoen.

Bij het paviljoen aangekomen namen ze plaats onder een enorme parasol. Het was er gezellig druk. Veel mensen waren, aangelokt door het mooie weer, neergestreken op het uitgebreide terras met uitzicht op de parkvijver.

"Hé Paula!" klonk het ineens opgewekt. Een hoogblonde, ge-bruinde vrouw zwaaide uitbundig en kwam vervolgens naar hen toe lopen. "Dat is lang geleden. We moeten nodig weer eens iets afspreken, meid." Ze gaf Paula drie zoenen op haar wangen, streek Nicole over haar haren en wendde zich daarna tot Thijs. "Jij moet Thijs zijn. Ik heb al heel wat over je gehoord, fijn je eindelijk eens te ontmoeten. Je had wel gelijk, schat, hij is echt een stuk," gniffelde ze tegen Paula terwijl ze haar een veelbetekenende por in haar zij gaf. Haar felrood aangezette lippen tuitten zich terwijl ze waarderend floot.

"Dit is Elma, mijn vriendin," zag Paula zich genoodzaakt haar voor te stellen. Ze deed het met tegenzin. Elma was een verleidster pur sang, ze wond met gemak iedere man om haar vinger met haar knappe gezicht, lange blonde haren, sexy kleding en uitdagende houding. Ze waren al jaren bevriend en ze wist dat ze niet onder een ontmoeting tussen Elma en Thijs uit kon, maar liever had ze dit nog een tijdje uitgesteld tot ze wat zekerder van Thijs was.

"Kom erbij zitten," nodigde Thijs haar uit, precies waar ze al bang voor was geweest.

"Nou, graag," zei Elma zonder enige vorm van terughoudendheid. "Ik kom net uit mijn werk en ik was al aan het twijfelen of ik hier zou eten of gewoon thuis. In je eentje op een terras zitten is niet echt gezellig."

"Alsof jij altijd lang alleen bent," kon Paula niet nalaten snerend op te merken. "Je hebt binnen no time hordes mannen om je heen zwermen als je ergens bent."

Elma lachte gevleid, alsof het een complimentje was geweest. "Toch is het met vrienden leuker. En Thijs, vertel eens. Wat voor werk doe jij?"

Terwijl Elma en Thijs geanimeerd in gesprek raakten, zaten Paula en Nicole er stilletjes bij. Paula zag hoe Thijs naar de split in Elma's jurk keek en hoe zijn ogen ter hoogte van haar borsten bleven hangen tijdens het praten. De schrik sloeg haar om het hart. Door de manier waarop haar eigen affaire met Thijs begonnen was wist ze al dat hij niet helemaal te vertrouwen was en voor Elma durfde ze op dat gebied al helemaal geen dubbeltje te verwedden. Haar vriendin verslond mannen zoals een ander ondergoed. Lusteloos prikte ze even later in haar eten. De angst om Thijs te verliezen was zo groot, dat ze ter plekke in huilen uit had kunnen barsten. Ze moest nog harder haar best doen, het hem nog meer naar de zin maken, besefte ze.

HOOFDSTUK 3

Het was zeker geen makkelijke periode voor Nicole. Haar lichaam ontwikkelde zich langzaam maar zeker van kind tot tiener, ze stond voor de overstap naar het middelbaar onderwijs, waar ze enorm tegenop zag en als klap op de vuurpijl waren daar dus ook nog eens de veranderingen thuis bij gekomen. De onverwachte komst van Thijs in hun huis had de boel toch even op zijn kop gezet voor haar. Toch bleek juist die laatste verandering verrassend goed uit te pakken voor Nicole. Hij kon dan weliswaar niet haar vader vervangen, maar stelde zich wel op als een vaderlijke vriend. Het was er voor haar gezelliger en makkelijker op geworden thuis.

Hoewel Paula nog steeds weinig aandacht voor haar had, was ze tegenwoordig wel vaker thuis. Haar stapavonden behoorden tot het verleden nu Thijs bij haar woonde. Nicole's hoop haar moeder van vroeger terug te krijgen, werd echter de bodem ingeslagen. Paula leefde voor Thijs en deed alles om het hem naar de zin te maken. Vaak had Nicole het gevoel dat ze slechts getolereerd werd, waardoor het gevoel van eenzaamheid, dat bezit van haar had genomen toen haar vader stierf, nog versterkt werd. Ook Thijs kon dat niet wegnemen, hoe blij ze ook met zijn aanwezigheid was. Hij deed daar overigens ook niet echt zijn best voor. Thijs vond Nicole prettig, aangenaam gezelschap en hij mocht haar graag, maar hij verdiepte zich niet echt in haar. De zielenroerselen van een twaalfjarige tiener waren hem volkomen vreemd. De grootste winst voor Nicole in deze nieuwe situatie was dat ze geen nachten meer alleen thuis hoefde te blijven.

Paula was daarentegen minder gelukkig dan ze verwacht had. Thijs was nu weliswaar van haar, maar zo voelde dat nog steeds niet. Ze moest echt op haar tenen lopen om hem te blijven behagen, op ieder gebied. Hun huis zag er schoner en gezelliger uit dan ooit en haar maaltijden werden steeds lekkerder. Haar humeur ging er overigens op achteruit, maar daar merkte Thijs niets van als hij thuis was. Daar had vooral Nicole last van. Zodra Thijs de deur binnen stapte transformeerde Paula tot een lieflijk lachende vrouw met belangstelling voor alles wat hij die dag gedaan had. Als Thijs maar bij haar bleef, dat was haar enige drijfveer in alles wat ze deed. Ze had zo ontzettend genoeg van de eenzaamheid, dat kon ze niet meer aan. De leegte die Dick had achtergelaten was onbeschrijflijk. Thijs vulde die tenminste een heel stuk op. Als vriendin van was ze ook weer iemand, dat vond Paula heel belangrijk. Ze kon nu weer met medelijden in haar ogen naar alleenstaande vrouwen zoals Elma kijken.

Ook financieel legde de relatie met Thijs haar geen windeieren. Paula was eerlijk genoeg om dat, althans aan haarzelf, toe te geven. Dick had haar redelijk verzorgd achter gelaten en met het salaris van haar parttime baan in de supermarkt erbij had ze geen klagen, maar grote bokkensprongen kon ze er nu ook weer niet van maken. Thijs bracht een riant inkomen met zich mee, waardoor het leven een stuk leuker en makkelijker werd. Al met al waren er redenen genoeg waarom Paula Thijs met alle geweld aan zich wilde binden.

Thijs liet zich echter niet zomaar inpakken. Hij woonde weliswaar bij haar, maar Paula wist dat ze alle zeilen bij moest zetten om dat zo te houden. Ze leerde al snel om vooral niet te klagen en te zeuren waar hij bij was, omdat het onvermijdelijk uitliep op ruzie. Ook haar jaloezie moest ze trachten te verbergen. Thijs was een charmeur en er waren legio vrouwen die hem maar wat graag van haar af wilden pakken, besefte Paula. Stekelige opmerkingen of verwijten daarover van haar kant werkten alleen maar averechts.

Veel beter was het om Thijs zoveel mogelijk bij dat soort vrouwen vandaan te houden. Elma werd dan ook steeds minder uitgenodigd bij hen thuis. Paula zorgde er zorgvuldig voor de afspraken met haar vriendin zoveel mogelijk te plannen als Thijs er niet was. De blikken die hij haar in het paviljoen in het park had toegeworpen, had ze heel goed gezien en juist ingeschat. Elma kennende had die er totaal geen problemen mee om Thijs bij haar weg te lokken als ze de kans kreeg, wist Paula. Op dat gebied was hun vriendschap weinig waard. Als het op mannen aankwam was het ieder voor zich. Al met al was haar leven er niet rustiger op geworden, al bleef ze zichzelf krampachtig voorhouden dat ze gelukkig was met Thijs.

Hij liet zich alle zorgen overigens genoeglijk aanleunen. Het amuseerde hem dat Paula zo overduidelijk haar best deed om het hem naar de zin te maken. Ze was geen Lydia, maar bij gebrek aan beter voorlopig een heel goed alternatief. En de aanwezigheid van Nicole in dit huis maakte sowieso veel goed voor hem. Hij was er zelf verbaasd over dat hij zo goed met dit meisje overweg kon. Als man die nooit veel met kinderen te maken had, had hij het vaderschap zo ver mogelijk van zich afgeschoven. Nu hij tegen wil en dank een soort stiefvader was geworden, bleek dat hij dat eigenlijk best leuk vond. Het verzoende hem in ieder geval met het feit dat Lydia was vervangen door Paula.

Zo verstreken de jaren. Nicole groeide op tot een rustige, terug-getrokken tiener, die zowel thuis als op school weinig last ver-oorzaakte. Ze viel gewoonweg niet op, ging stilletjes haar eigen gang. Ook op de havo maakte ze geen vriendinnen, maar dat feit had ze inmiddels allang geaccepteerd. Thuis was het er in ieder geval een stuk leuker voor haar op geworden sinds Thijs zijn intrede had gedaan. Niet te vergelijken met vroeger, maar beter dan de tijd na haar vaders overlijden. Het gebeurde nu nog maar zelden dat ze een avond alleen thuis was.

Thijs ging nog weleens een avond sporten of stappen met zijn vrienden, maar Paula bleef dan angstvallig thuis, wachtend tot hij terugkwam. Haar vermoedens dat Thijs regelmatig een vriendin had, stopte ze zo ver mogelijk weg. Ze wilde en durfde die confrontatie niet met hem aan te gaan. Als ze ook maar iets in die richting opmerkte, liet hij doorschemeren dat hij wel weg-ging als het haar niet beviel en dan bond ze haastig weer in. Al-les was beter dan opnieuw alleen achterblijven. Als vrijgezelle vrouw van halverwege de dertig zou het leven er niet makkelij-ker op worden voor haar, daar was ze zich goed van bewust. Ze zag dat constant om zich heen bij kennissen en collega's.

Elma was daar trouwens ook een levendig voorbeeld van. Haar vriendin schuwde geen enkele methode om een man aan de haak te slaan, maar tot nu toe waren haar pogingen op niets uitge-lopen. Vrienden zat, dat wel, er bleef er echter niet een langer dan hooguit een paar weken, waarna Elma zich opnieuw in het uitgaanscircuit stortte, op jacht naar een andere prooi. Paula wil-de voor geen goud terug naar een dergelijk leven. De wanhoop straalde soms van Elma af en op die momenten was Paula dubbel blij dat zij Thijs had, al verliep hun relatie zeker niet vlekkeloos. De zekerheid die Dick haar had geboden, miste ze bij Thijs totaal. Relaxed was haar leven dan ook zeker niet. Ze liep voortdurend op de toppen van haar tenen om het Thijs naar de zin te maken en sloot haar ogen voor zijn fouten. De vage geur van parfum die hij soms om zich heen had als hij een avond weg was geweest, de afdruk van lippenstift op zijn overhemd, die ze eens vond, de keren dat zijn mobiel ging en hij wegliep zodat zij zijn gesprek niet kon horen, de periodes van overwerk, ze deed net of het allemaal niet bestond. Zolang ze er niet te veel over nadacht en er niet met hem over praatte, was het er niet, hield ze zichzelf voor. Dan kon ze in ieder geval naar de buitenwereld toe de schijn ophouden dat het allemaal prima liep in hun gezin, dat er geen vuiltje aan de lucht was. Ondertussen hield ze hem met argusogen in de gaten. Zodra er weer tekenen waren van een nieuwe vriendin, deed ze nog meer haar best hem te behagen, op ieder gebied.

Nicole zeilde ongemerkt tussen al deze klippen door. Ze zag wel hoe de zaken ervoor stonden tussen haar moeder en Thijs, maar koos ervoor zich daar niet druk over te maken. Dat hielp toch niet, dacht ze wijs. Ze praatte met Thijs niet over zijn uitstapjes buiten de deur en wees haar moeder niet op het feit dat ze haar vriend juist wegjaagde door haar gedrag. Het enige wat ze deed was hopen dat deze relatie niet stuk zou gaan zolang zij nog thuis woonde.

Lange tijd bleef het ook goed gaan, althans voor de weinig oplettende buitenstaander. Dat Paula op was van de zenuwen viel

niemand op, dat Thijs opmerkelijk weinig aandacht aan haar besteedde zagen andere mensen niet. Die zagen slechts een stel
met een puber die bijzonder weinig problemen veroorzaakte in
vergelijking met veel leeftijdgenootjes. Paula en Thijs werden
daarom benijd, zonder dat iemand merkte dat zij wel degelijk
ook hun problemen hadden.

Nicole's zestiende verjaardag brak aan. Ze verheugde zich niet
bijzonder op die dag. Verjaardagen waren allang geen echt feest
meer binnen hun gezin, ze werden slechts plichtmatig gevierd
omdat het zo hoorde. Het enthousiasme waarmee Dick vroeger
iedere verjaardag van Nicole organiseerde was iets waar ze met
weemoed aan terugdacht en wat nooit geëvenaard kon worden.
Zelfs niet door Thijs, al deed hij ieder jaar echt zijn best om er
een leuke dag van te maken voor haar.

"Wil je nog iets leuks doen met vriendinnen voor je verjaardag?"
vroeg Paula een paar dagen van tevoren. "Naar de bioscoop of
zo, of zwemmen?"

"Welke vriendinnen?" reageerde Nicole spottend.

"Nou ja, je hebt toch klasgenoten waar je wel mee overweg
kunt?" Paula maakte een hulpeloos gebaar met haar handen. Ze
wist nooit goed wat ze met Nicole aan moest, zeker niet als ze op
zo'n sarcastisch toontje sprak. Vaak voelde ze zich de mindere
van haar verstandige, rustige dochter, die haar met koele ogen
kon observeren zonder iets te zeggen.

"Ik heb geen behoefte aan een kinderpartijtje," zei Nicole kalm.
"Die tijd heb ik gehad. Op mijn tiende of elfde was dat nog leuk
geweest, maar toen mocht het niet."

"Toen was je vader net dood en had ik wel iets anders aan mijn hoofd," wees Paula haar terecht.

Nicole haalde haar schouders op. "Op mijn tiende verjaardag was hij net overleden, dus kon ik juist wel een feestje gebruiken als afleiding. Op mijn elfde verjaardag was hij al ruim een jaar dood, maar had jij er gewoon geen zin in om iets te organiseren. Daarna was het niet meer nodig wegens gebrek aan vriendinnen die ik uit kon nodigen. Dat is nog steeds zo, dus wees maar blij, je hoeft weer niets te doen."

"Je zestiende verjaardag is juist een goede aanleiding om wat meisjes uit je klas uit te nodigen, wellicht houd je daar een vriendin aan over," probeerde Paula nog.

Nicole vroeg zich af waarom haar moeder zo aandrong. Dat had ze nog nooit eerder gedaan, het kwam haar juist wel goed uit dat haar dochter zo weinig eisen stelde op dat gebied. Wel zo makkelijk. Ineens ging haar een lichtje op.

"Heeft Thijs soms gezegd dat je iets leuks moet organiseren?" wilde ze weten.

Paula's rood kleurende wangen vertelden haar het antwoord al. Natuurlijk, van haar moeder zelf hoefde ze zoiets niet te verwachten, dacht Nicole bitter. Dat wist ze al heel lang, toch deed het nog steeds pijn, al liet ze dat meestal niet merken. Ondanks haar houding van ongenaakbare puber was ze vanbinnen nog steeds een angstig, eenzaam en verdrietig meisje.

"Hij wilde iets van een *sweet sixteen* party," zei Paula. "Een zestiende verjaardag is toch iets bijzonders."

"In zijn ogen misschien, in de mijne niet," zei Nicole stoer. "Wat mij betreft mag die hele dag overgeslagen worden." Met die woorden liep ze weg, naar haar eigen kamer.

Ondanks die boute bewering werd ze op de ochtend van haar verjaardag met een verwachtingsvol gevoel wakker, hopend dat haar moeder haar woorden niet ter harte had genomen. Langzaam liep ze naar beneden en met een blij opspringend hart zag ze dat de kamer versierd was met kleurige slingers. Ze waren het dus in ieder geval niet vergeten, al wist ze wel zeker dat Thijs de grootste drijfveer achter deze versiering was. Hij deed meer moeite voor haar dan haar moeder.

"Gefeliciteerd, lieverd." Ineens stond hij achter haar, met een cadeau in zijn handen. De omhelzing die volgde was warm en liefdevol en Nicole bleef even tegen hem aan geleund staan. De kus van haar moeder belandde koel op haar wang.

"Pak maar snel je cadeau uit."

Nicole scheurde gespannen het papier eraf. Ze kon amper een juichkreet onderdrukken bij het zien van het digitale fototoestel dat tevoorschijn kwam. Die wilde ze al heel lang hebben, iets wat alleen Thijs wist. Ze vond het een sport om mooie foto's van de natuur te maken, die ze later in haar kamertje overtekende. Ze had al mappen vol met tekeningen van bloemen, struiken en vogels. Met dit toestel werd het voor haar een stuk makkelijker om die hobby te beoefenen. Haar oude fototoestel, een afdankertje dat haar vader haar ooit gegeven had, was niet al te best meer. Bovendien werkte dat nog met een ouderwets fotorolletje en moest ze naar de andere kant van de stad fietsen om die te laten ontwikkelen. De meeste fotozaken waren daar allang mee gestopt.

"Dank je wel, dit is een geweldig cadeau!" zei ze blij.

"Het was heel duur, wees er zuinig op," vond Paula het nodig om haar te waarschuwen.

"Nicole is altijd zuinig op haar spullen," zei Thijs voordat Nicole daar iets op terug kon zeggen. Hij knipoogde naar haar.

"Dank je wel," zei Nicole nogmaals toen haar moeder naar de keuken was gelopen. "Dit heb ik vast aan jou te danken."

"Ik wist dat je dit graag wilde hebben," antwoordde hij eenvoudig.

"Ik durfde niet te hopen dat ik zoiets zou krijgen. Het is inderdaad een duur cadeau."

"Voor mijn stiefdochter is niets goed genoeg, dat weet je toch?" maakte Thijs zich er met een grapje vanaf.

"De eerste foto die ik ga maken is van jou," besloot Nicole. Ze stelde het apparaat in, richtte op zijn gezicht en drukte af. Perfect gelukt, constateerde ze met een blik op het schermpje aan de achterkant. Thijs keek haar vanaf het toestel lachend aan, in zijn ogen was duidelijk zijn genegenheid voor haar af te lezen.

De rest van de dag bleef ze een licht gevoel houden. Hoewel haar verjaardag op school ongemerkt voorbijging, kon haar dag niet meer stuk. Ze verheugde zich op de talloze foto's die ze nu kon maken zonder dat haar zakgeld opging aan het ontwikkelen van de rolletjes. De computer die ze thuis hadden staan was geschikt om foto's op te bewerken en uit te printen. Ze hoefde nu alleen maar de foto's te printen die ze wilde tekenen, de rest kon ze simpelweg met één druk op een knop verwijderen. Dat scheelde haar heel wat geld en moeite.

Paula had haar lievelingskostje gekookt die avond en na het eten kwam de geijkte visite. Wat collega's van Thijs, kennissen van hen samen en uiteraard Elma. De laatste overhandigde Nicole een cadeau waar fotopapier en kleureninkt in bleek te zitten.

"Kun je meteen beginnen met printen zonder dat je moeder gaat zeuren over de hoeveelheid inkt die je gebruikt," lachte ze met een vrolijke knipoog.

"Fijn, dank je wel, tante Elma," zei Nicole enthousiast. Mooi, dat scheelde haar weer een hoop zakgeld, want Paula had die ochtend inderdaad al door laten schemeren dat ze niet moest verwachten dat zij voortdurend nieuwe inkt in zou slaan.

"Hoe wist jij eigenlijk dat Nicole een fototoestel kreeg?" ging Paula ineens een lichtje op. "Ik heb het je niet verteld."

"Van mij," mengde Thijs zich in het gesprek. "Ik kwam Elma vorige week tegen in de stad toen ik dat ding ging kopen. Ze heeft me geholpen met uitzoeken en toen hebben we direct dat papier en de inkt gekocht. Ze was blij dat ze meteen iets wist om aan Nicole te geven."

"Daar heb je niets van gezegd," zei Paula met een strak gezicht en een samengeknepen mond.

"Dat is me vast ontschoten."

"Thijs vindt mij niet belangrijk genoeg om thuis over te praten," zei Elma met een schelle lach.

Iets té schel, volgens Paula. Wantrouwend keek ze van de een naar de ander. Elma's gezicht kleurde langzaam donkerrood, maar Thijs keek onverstoorbaar terug. Hij trok één wenkbrauw iets op, alsof hij haar uitdaagde om er iets van te zeggen.

"Dat zal dan wel," mompelde Paula. Met een ruk draaide ze zich om. Er klopte iets niet, al kon ze haar vinger er niet precies op leggen. Maar Elma was te druk en Thijs te nonchalant. Ze zouden toch niet…? Samen…? Haar hart kneep samen bij dat idee.

Ze wist dat ze Thijs niet honderd procent kon vertrouwen, niet eens vijftig procent waarschijnlijk, maar zolang het ver buiten de deur bleef kon ze ermee omgaan. Het moest echter niet te dichtbij komen, want dan kon ze het niet langer ontkennen.

De rest van de avond bleef ze die twee scherp in de gaten houden. Er broeide iets, dat werd haar wel duidelijk. Hoewel zowel Thijs als Elma deden alsof ze elkaar negeerden, onderschepte Paula een paar keer een blik tussen hen. De angst sloeg haar om het hart. Ze sloot al vier jaar lang haar ogen voor Thijs' misstappen, maar dit zou ze niet kunnen verdragen. Dit ging zelfs haar te ver.

Het lukte haar niet om haar wantrouwende gedachten stop te zetten die avond. Terwijl ze drankjes inschonk voor de visite en met hapjes rondging bleef ze hen observeren. Wat ze zag stelde haar allerminst gerust. Thijs, die even een hand op Elma's knie legde toen hij voorover boog om een glas van tafel te pakken. Elma die op een overdreven manier liet blijken geen aandacht voor hem te hebben, maar die wel rood kleurde bij dat kleine gebaar. De blik waarmee Thijs Elma nakeek toen ze de kamer verliet om naar het toilet te gaan. De manier waarop zij heupwiegend wegliep, zich wel bewust van zijn ogen.

Paula vluchtte naar de keuken en bleef daar met haar handen voor haar gezicht staan. Ze kon zichzelf niet langer voorhouden dat ze zich iets verbeeldde, daarvoor zag ze alles te scherp. Pal onder haar ogen speelde zich een smerig spelletje af en ze had geen flauw benul hoe ze daarmee om moest gaan.

HOOFDSTUK 4

Het werd niet zo laat die avond. Tegen elf uur stapte de laatste visite op en stuurde Thijs Nicole naar bed.

"Je moeder en ik ruimen wel op, ga jij maar slapen," zei hij terwijl hij haar een zoen op haar wang gaf. Hij hield haar nog even tegen voor ze de kamer wilde verlaten. "Heb je een leuke dag gehad?"

"Beter dan ik verwacht had," antwoordde Nicole eerlijk. "Nogmaals hartstikke bedankt voor het fototoestel, Thijs. Ik ben er dolblij mee."

"Mooi. Slaap lekker, Nicole."

Hij begon de vuile glazen en schalen te verzamelen en liep ermee naar de keuken, waar Paula bezig was met afwassen. Ze draaide zich niet naar hem om. Haar rug straalde een en al afweer uit.

"Je had me weleens mogen vertellen dat je met Elma samen aan het winkelen bent geweest," merkte ze bits op.

"Begin daar nu niet weer over, dat onderwerp was al afgehandeld," zei Thijs kort.

"Voor mij niet." Paula kneep haar lippen samen tot een rechte streep. "Ik ben niet achterlijk, Thijs. Ik heb ogen in mijn hoofd."

"En wat bedoel je daar nu weer mee?" vroeg hij gevaarlijk kalm. Hij leunde tegen het aanrecht aan en sloeg zijn armen over elkaar heen.

"Precies wat ik zeg. Ik tolereer veel, maar niet alles."

"Is dat een dreigement?"

Paula haalde haar schouders op. "Als jij het zo wilt noemen. Ik zeg je alleen dat je niet alles kunt maken bij me."

Thijs lachte spottend. "Nee, je bent nogal standvastig," hoonde hij. "Ga toch weg. Ik hoef maar met mijn ogen te knipperen en je rent voor me. Je bent af en toe net een hondje."

Paula verbleekte. Ze klemde zich aan de rand van de gootsteen vast. Het ergste was dat hij gelijk had en dat wist ze. Ze pikte alles van hem. Maar dit niet, nam ze zich ter plekke voor. Als hij dacht dat hij onder haar ogen iets met haar vriendin kon beginnen, had hij het mis.

"Ook honden hebben een grens," zei ze dus. Haar stem bibberde echter, iets wat Thijs niet ontging.

"Je stelt je aan," zei hij met een klank van triomf in zijn stem. "Overigens houd ik niet van dreigementen. Pas op met wat je zegt, je zou je woorden weleens waar moeten maken." Daarna liep hij de keuken uit om verder op te gaan ruimen in de huiskamer.

Bij Paula sprongen de tranen in haar ogen. Zijn laatste woorden hielden een regelrechte bekentenis in, dat was haar niet ontgaan. Maar zou hij werkelijk… Met Elma? Ze kon het zich bijna niet voorstellen, wist tegelijkertijd dat hij er niet te goed voor was. Elma overigens ook niet.

Maar waarschijnlijk had hij dit alleen gezegd om haar uit haar tent te lokken, bedacht ze toen. Thijs vond het leuk om haar te stangen op dit gebied, dat was al vaker voorgekomen.

Ondanks dat deze gedachte haar weer enigszins geruststelde, kon ze die nacht de slaap niet vatten. Terwijl Thijs' regelmatige ademhaling naast haar bewees dat hij diep in slaap was, lag zij te woelen en te draaien in bed. Ze kon het beeld van Elma in de armen van Thijs niet van haar netvlies afkrijgen.

De volgende ochtend stapte ze uit bed met een gigantische hoofdpijn. Even overwoog Paula zich ziek te melden op haar werk, maar dat plan verwierp ze weer op het moment dat ze zich realiseerde dat dit Thijs' vrije dag was. Ze kon het nu even niet aan om de hele dag in zijn nabijheid te zijn, dat zou ongetwijfeld uitdraaien op een fikse ruzie. Zo zacht mogelijk, om hem niet te wekken, sloop ze door het huis heen. Een kwartier na Nicole trok ze de huisdeur achter zich dicht voor een lange dag achter de kassa.

Het ging niet. Ondanks de twee tabletten paracetamol die ze bij haar koffie innam, trok haar hoofdpijn niet weg. Op een gegeven moment zag ze gewoonweg sterretjes. Het felle licht van de tl-lampen was onverdraaglijk, zodat ze haar ogen tot spleetjes geknepen hield.

"Dit gaat zo niet," zei haar bedrijfsleider beslist toen hij Paula in haar lunchpauze misselijk tegen de muur geleund zag staan. "Ik waardeer het dat je toch gekomen bent, maar ik wil dat je nu naar huis gaat. Duik lekker je bed in en kijk morgen maar of het gaat." Paula had zelfs de kracht niet meer om te protesteren. De gedachte aan haar bed was zo aantrekkelijk dat de bedrijfsleider geen enkele moeite hoefde te doen om haar over te halen. Ze voelde zich zo ziek dat ze besloot een taxi naar huis te nemen. Ze moest er nu niet aan denken om in een volle bus te stappen. Met gesloten ogen leunde ze achter in de auto tegen de hoofdsteun aan. Nog een kwartier, twintig minuten hooguit, dan kon ze tenminste haar bed in.

Even later stopte de taxi voor haar huisdeur. Paula opende haar ogen en zag het geschrokken gezicht van Thijs voor het slaapkamerraam opdoemen en weer wegschieten. Waarschijnlijk rende hij nu naar beneden, ongerust vanwege het feit dat ze met een taxi naar huis kwam. Ze betaalde de chauffeur en liep snel naar binnen.

Thijs stond inderdaad in het halletje, hijgend omdat hij zo snel de trap af was gekomen. Zijn overhemd hing half uit zijn broekband en zijn haren zaten verward, maar dat viel Paula niet eens op. "Wat is er aan de hand?" vroeg hij. Zijn stem klonk gejaagd. "Vreselijke hoofdpijn," mompelde Paula. "De bedrijfsleider heeft me naar huis gestuurd. Ik ga naar bed." Ze wilde langs hem heen naar de trap lopen, maar hij hield haar bij haar arm tegen.

"Kom even mee naar de kamer, dan pak ik wat pijnstillers voor je."

"Die helpen niet. Het enige wat ik nu wil is in alle stilte in bed liggen."

"Ga eerst even zitten, ik zal iets te drinken voor je inschenken." Paula rukte haar arm los uit zijn hand. "Ik wil niet zitten, ik wil niets drinken en ik wil geen pillen. Laat me met rust."

Ze wilde de trap oplopen, maar een gerucht boven haar hoofd deed haar omhoog kijken. Een nieuwe golf van misselijkheid overviel haar bij wat ze zag. Daar stond Elma, bezig met het dichtknopen van haar blouse. Ze keek Paula niet aan.

"Jij…" bracht Paula uit. "Dus toch! Hoelang is dit al aan de gang?"

"Wind je nu niet zo op. Ga naar bed, dan praten we er later wel over," zei Thijs sussend.

"Om de dooie dood niet!" Haar ogen vlamden. Het duizelde haar, maar haar kwaadheid overstemde haar hoofdpijn. Ze had het geweten, toch viel het haar rauw op haar dak nu het bewijs geleverd was. Al die keren had ze haar ogen gesloten voor de realiteit, nu kon dat niet meer. Dat Thijs haar dit geflikt had, met haar vriendin, nota bene in haar eigen bed, ging te ver. Hij was vaker over haar grenzen heengegaan, maar dit keer was hij er zo ver overheen gestapt dat de lijn niet eens meer te zien was.

"Ik wil dat je je spullen pakt en verdwijnt," zei ze merkwaardig kalm. "Nu onmiddellijk."

"Daar meen je niets van. Wat ik zei, we praten er later wel over."

"Er valt niets meer te zeggen. Hoepel op! En jij…" Ze wendde zich naar Elma, die nog steeds boven aan de trap stond. "Mijn huis uit en kom er nooit meer in. Heel snel voordat ik naar boven kom en je persoonlijk van die trap af mieter."

"Wind je niet zo op." Kalm kwam Elma naar beneden. Er lag een triomfantelijk lachje op haar zwaar opgemaakte gezicht. "Het is mijn schuld niet dat jij je vent niet tevreden kunt houden. Als hij thuis niets gemist had, had hij het niet buiten de deur hoeven zoeken."

"Sommige mannen hebben geen reden nodig voor zoiets," reageerde Paula met bijtend sarcasme. "Die doen het gewoonweg voor de sport. Verbeeld je maar niets, je bent heus de enige niet. Waarschijnlijk was je gewoon een makkelijke prooi. Slet! Eruit, zei ik." Ze opende de buitendeur en duwde Elma zonder pardon naar buiten. "En jij ook. Wegwezen!" richtte ze zich tot Thijs.

"Je wilt niet echt dat ik wegga," zei hij nog steeds rustig en zelfverzekerd.

"Dan vergis je je toch behoorlijk," zei Paula koel. Het was of ze buiten zichzelf trad op dat moment. "We hebben het hier gisteravond nog over gehad en volgens mij was ik toen heel duidelijk. Ik pik het niet langer, Thijs. Niet meer. Ik verdien beter dan een man als jij."

"Verbeeld je maar niets," reageerde hij laatdunkend. "Zo'n goede vangst ben je nu ook weer niet. Heb je je nooit afgevraagd waarom ik mijn pleziertjes elders zoek?"

"Omdat je een schoft bent, een man zonder enig moreel besef. Je denkt niet met je hoofd of met je hart, maar met een heel ander lichaamsdeel," zei Paula hard.

"Dat vond je ook geen probleem toen jij mij bij mijn vrouw weglokte. Je oogst nu wat je zelf gezaaid hebt," hoonde Thijs.

Paula richtte zich hoog op. "Leg de schuld van jouw overspel niet bij mij neer. Ik heb overigens geen enkele behoefte aan een discussie. Pak je spullen en ga weg. Ik wil je nooit meer zien."

"Als jij dat wilt. Maar je hoeft niet op je knieën terug te komen als je er spijt van krijgt. Als ik nu wegga is dat voorgoed," blufte Thijs.

"Graag zelfs."

Vermoeid sloot Paula haar ogen terwijl Thijs naar boven liep om zijn persoonlijke spullen te pakken. Dit was het dus, hier was ze vier jaar lang bang voor geweest en nu was het zover. Nu bleef ze toch weer alleen achter, juist wat ze niet wilde. Maar ze kon niet meer terug, dat besefte zij zelfs. Hoewel ze eigenlijk al spijt van haar woorden had, kon ze die onmogelijk nog terugnemen. Dan was ze al haar geloofwaardigheid kwijt en zou hij haar nooit meer serieus nemen. Dan zou ze pas echt een speelbal van hem worden, dat besef drong nog wel tot haar pijnlijke hersens door. Haar hart huilde echter toen hij even later met twee volle koffers langs haar heen liep. Het liefst had ze zich om zijn nek geworpen om hem te smeken bij haar te blijven. Ze hield zich echter sterk en liet niets van haar gevoelens blijken. Ook niet toen hij op koele toon informeerde of ze het echt zeker wist.

"Absoluut," antwoordde ze met dichtgeknepen keel, maar uiterlijk onbewogen. "Als ik een schoft als partner wil heb ik jou tenslotte niet nodig, die zijn er genoeg."

"Dan moet je het zelf maar weten. Je weet wat ik gezegd heb, je hoeft niet meer bij me aan te kloppen als je van gedachten verandert."

Als antwoord hield ze slechts de buitendeur voor hem open en hij beende met snelle passen langs haar heen. Zonder nog één keer om te kijken naar het huis waar hij vier jaar lang gewoond had, reed Thijs de straat uit. Pas op het moment dat zijn auto om de hoek verdwenen was, stortte Paula in. Huilend liet ze zich op de trap zakken. Zo ver had ze het helemaal niet willen laten komen. Ze had zich gedwongen gevoeld om hard op te treden, maar als hij zijn excuses aan had geboden had ze het hem meteen vergeven, dat wist ze. Het was echt uit de hand gelopen en nu zat ze naar de brokstukken te kijken.

Ze wilde niet alleen zijn! Zonder een man aan haar zijde voelde Paula zich incompleet. Minderwaardig. Niet goed genoeg. Er zat echter niets anders op dan de feiten te accepteren, hoe moeilijk dat ook was. Al was Thijs nu niet bepaald een droompartner, hij was wel háár partner geweest en nu bleef ze met lege handen achter. Op dat moment wist Paula werkelijk niet wat ze erger vond. Geen man of een man die haar bedroog met haar vriendin. Elma had in ieder geval voorgoed voor haar afgedaan.

Haar hoofdpijn, even naar de achtergrond gedrongen door deze hele onverkwikkelijke situatie, kwam weer in volle hevigheid opzetten. Met moeite strompelde Paula de trap op. Even later liet ze zich met kleren en al op haar bed vallen. Slapen, dat was het enige wat ze nu nog wilde. Lang, diep en droomloos slapen.

Nicole had onmiddellijk haar nieuwe fototoestel in gebruik genomen. Voor de meeste mensen was een digitaal toestel allang niets nieuws meer, zij vond het echter heel bijzonder. Op het schermpje zag ze direct of een foto goed was of niet. Zo niet, dan wiste ze hem meteen weer. Zo struinde ze het hele stadspark af, op zoek naar bijzondere bloemen, mooie struiken en verweerde bomen. De waterlelies op de vijver hadden zich prachtig ontvouwd, dus daar maakte ze een aantal mooie opnames van, evenals van een vogel die net een worm uit het gras pikte. Dankzij de inzoomfunctie kon ze dat beeld heel dichtbij halen zonder dat de vogel van haar schrok en er vandoor ging.

Ze was in de wolken met het resultaat. Nog nooit eerder was het haar gelukt een vogel zo duidelijk op de gevoelige plaat vast te leggen. Ze kon haast niet wachten om aan deze tekening te beginnen. Ze borg het toestel zorgvuldig weg in het daarbij behorende hoesje en daarna in een apart vak van haar schooltas. Eigenlijk had ze te veel huiswerk voor de dag erna om haar tijd te verdoen in het park, maar de verleiding was te groot geweest. Ze had haar nieuwe toestel gewoon uit moeten proberen. De drang om de foto van de vogel uit te tekenen was zo groot dat ze vreesde dat veel van haar huiswerk er bij in zou schieten. Nonchalant trok ze met haar schouders. Dat moest dan maar eens een keertje. Meestal was ze redelijk plichtsgetrouw en ze haalde over het algemeen goede cijfers, dus zo'n ramp was het niet als het een keer mis ging. Fluitend stapte ze op haar fiets om de weg naar huis te aanvaarden.

Het viel haar direct op dat de auto van Thijs niet voor de deur stond. Hij was nogal neurotisch als het om zijn wagen ging. Als er geen parkeerplek pal voor de deur was, hield hij de straat voortdurend in de gaten, om zijn auto te gaan halen op het moment dat er iemand wegreed en er een plek vrijkwam. Dat maakte het altijd wel makkelijk om van veraf te zien of hij thuis was of niet. Nu was hij er dus niet. Jammer. Nicole had hem graag de resultaten van haar eerste fotosessie willen laten zien. Maar wellicht was het leuker om hem straks de uitgeprinte versies te tonen.

Haar moeder was er ook nog niet, dus dook ze direct het kleine zijkamertje naast de huiskamer in, waar een bureau met computer stond. Met de gebruiksaanwijzing erbij sloot Nicole het toestel aan op de computer. Het duurde even voor ze doorhad hoe het allemaal werkte, toch lukte het haar uiteindelijk om de gemaakte foto's uit te printen, inclusief de portretfoto van Thijs die ze gisteren als eerste gemaakt had. Trots bekeek ze het eindresultaat. Niet slecht voor een beginner!

Ze had inmiddels nog steeds niemand thuis horen komen. Vreemd, want het was al behoorlijk laat, constateerde ze met een blik op haar horloge. Thijs was vrij geweest vandaag en haar moeder had op dit tijdstip ook al uit haar werk moeten zijn. Misschien waren ze samen ergens heen gegaan, bedacht ze. Op school stond haar mobiel altijd uit en daarna had ze er niet aan gedacht om hem aan te zetten, dus wellicht was er een bericht van hen met uitleg. Ze zette haar telefoon aan, constateerde dat ze geen gemiste oproep en geen sms had.

Ze liep de huiskamer in om te kijken of er ergens een briefje lag. Het viel haar meteen op dat het er hier vreemd leeg uitzag. De pantoffels van Thijs, die standaard onder de salontafel stonden als hij niet thuis was, waren weg. De boekenkast vertoonde lege plekken waar zijn boeken vanochtend nog hadden gestaan. Het rek met cd's leek wel geplunderd. Verward keek Nicole om zich heen. Wat was dit? Het leek wel of Thijs hier helemaal niet woonde, of hij hier nooit gewoond had.

Langzaam, ondertussen in haar hoofd allerlei verklaringen bedenkend waarvan ze eigenlijk wel wist dat die nergens op sloegen, liep ze de trap op. Voor de slaapkamerdeur van haar moeder en Thijs aarzelde ze. Als zijn kleren ook weg waren had ze zekerheid, toch stelde ze het moment van binnen lopen nog even uit, alsof ze daarmee de onvermijdelijke waarheid kon omzeilen. "Nicole, ben jij dat?" klonk de huilerige stem van haar moeder. Paula kwam overeind op het moment dat de deur open kierde. Haar donkerblonde haren hingen verward om haar hoofd, haar ogen waren dik van het huilen.

"Mam! Wat is er aan de hand?" vroeg Nicole geschrokken. "Is er iets gebeurd met Thijs? Is hij…?" Ze durfde het woord dat haar inviel niet uit te spreken, beducht voor het antwoord. Haar vader was destijds ook van het ene op het andere moment uit haar leven gerukt, dat zou makkelijk nog eens kunnen gebeuren.

"Hij is weg," antwoordde Paula dof. "Ik heb hem de deur uitgezet. O Nicole, ik mis hem nu al!" Weer begon ze te huilen, terwijl Nicole als verstard bleef staan. "Je hebt hem weggestuurd?" herhaalde ze vlak. "Waarom in vredesnaam?"

"Ik betrapte hem met Elma. Ze hebben hier... In mijn eigen bed..." Paula stokte.

"Nou en?" zei Nicole hard. Er was geen spoortje medelijden in haar hart voor haar moeder die toch duidelijk ontdaan was. Thijs was weg, dat was het enige wat echt tot haar doordrong. Thijs, haar plechtanker in dit huis. De enige die echt om haar gaf, die rekening met haar hield en waar ze mee kon praten. Weg! "Hij heeft je zo vaak bedrogen, dat is niks nieuws. Ga nou niet ineens de zielige, bedrogen vrouw uithangen, want die rol staat je niet. Je hebt er nooit iets tegen gedaan."

"Dit keer is hij te ver gegaan," zei Paula. Die zin hield ze zichzelf de hele middag al voor en ze zei hem op als een uit het hoofd geleerd lesje. Ze moest hem wel steeds voor zichzelf herhalen, anders zou ze hem alsnog bellen om te vragen of hij terug wilde komen. Ze had echt haar allerlaatste restje trots nodig om zichzelf die vernedering te besparen.

"Dus dan zet je hem meteen het huis uit? Zomaar ineens? Is het geen seconde bij je opgekomen dat ik hier ook woon? Dat ik misschien afscheid had willen nemen?" Nicole's stem sloeg over van woede, ze was echt razend. Vier jaar lang was Thijs als een vader voor haar geweest en nu was hij zonder enige voorbereiding verdwenen. Weg, alsof hij nooit deel van haar leven had uitgemaakt.

"We kregen ruzie, dat liep uit de hand. Ik kon hem onmogelijk vragen of hij nog een paar uur wilde blijven. De maat was vol, Nicole. Je bent zestien, oud genoeg om dat te begrijpen. Een beetje medeleven zou wel prettig zijn, tenslotte ben ik vandaag de man verloren waar ik van houd," zei Paula theatraal. "Ik ben weer alleen."

"Ik ook," zei Nicole dof voor ze zich omdraaide en de slaapkamer uitliep. De deur van haar eigen kamer gooide ze met een knal achter zich in het slot. Als een zombie ging ze achter haar bureau zitten, zo van slag af dat ze niet eens kon huilen. Het medelijden dat Paula van haar verwachtte, kon ze niet opbrengen. Het enige wat ze voor haar moeder voelde was woede, omdat ze het zo ver had laten komen. Als ze Thijs direct na zijn eerste misstap het huis had uitgezet had ze het kunnen begrijpen, maar niet nu, na vier lange jaren waarin ze zich aan hem gehecht had. Voor de tweede keer in vier jaar tijd was ze een vader kwijtgeraakt.

HOOFDSTUK 5

Het avondeten werd die dag overgeslagen. Paula bleef geknakt in bed liggen, vervuld van zelfmedelijden en kwaad omdat haar dochter haar niet steunde terwijl ze het zo zwaar had. Nicole zat in haar eigen kamer, te zeer vervuld van emoties om te kunnen eten. Een paar keer strekte ze haar hand uit naar haar mobiele telefoon om Thijs te bellen, maar even zoveel keren trok ze toch weer terug. Ze had geen idee wat ze tegen hem moest zeggen.

Natuurlijk had ze al langer geweten dat hij nou niet bepaald de perfecte partner voor haar moeder was en lang geleden had ze al besloten dat zij dat zelf nooit zo wilde later. Zij wilde een man die helemaal voor haar ging, zoals haar vader vroeger voor haar moeder gegaan was. Thijs had nooit aan Dick kunnen tippen op dat gebied, daar was Nicole zich al vanaf het begin bewust van geweest. Voor haar gevoelens voor Thijs had dat echter nooit verschil gemaakt. Ze was dol op de partner van haar moeder, ondanks de fouten die hij had. Van die fouten had zij tenslotte geen last, voor haar was hij altijd goed geweest.

In het begin was Nicole vaak bang geweest dat de relatie tussen Thijs en haar moeder op de klippen zou lopen vanwege zijn veelvuldige uitstapjes buiten de deur, maar naarmate de tijd verstreek en er niets gebeurde was die angst weggeëbd. Het vreemdgaan van Thijs bleek geen probleem te zijn voor haar moeder, dus hoefde ze zich daar geen zorgen over te maken. En nu was het toch gebeurd, op een moment waarop ze het helemaal niet meer verwacht had. Ineens kon haar moeder er niet meer tegen en had ze hem de deur gewezen, nadat ze het jarenlang getolereerd had.

Nicole snapte daar niets van. Ze vond haar moeder egoïstisch omdat ze totaal niet aan haar belangen en gevoelens had gedacht. Hoewel ze daar toch eigenlijk aan gewend zou moeten zijn, dacht ze bitter bij zichzelf. Zij was nog nooit op de eerste plaats gekomen bij haar moeder. Ook vroeger niet. Ze hadden met zijn drieën een goed gezin gevormd en dankzij haar vader was Nicole nooit liefde of aandacht tekort gekomen, ze had echter al jong geweten dat ze voor die zaken niet bij haar moeder moest zijn. Als ze Paula iets vertelde, zag ze haar gedachten weg dwalen, al zei ze af en toe plichtmatig 'ja' of 'nee' tijdens haar verhaal. Naar ouderavonden op school of uitvoeringen van haar muziekklasje was ze alleen gegaan onder druk van Dick. Nicole had haar moeder vaak genoeg horen verzuchten dat ze helemaal geen zin had.

Sinds haar vader dood was, had Paula zich niet meer op haar school laten zien. Zelfs bij de afscheidsmusical van groep acht was ze niet gekomen, omdat ze die avond een migraineaanval had. Haar rapporten ondertekende ze zonder er echt naar te kijken. Het eindeloze zoeken naar een goede middelbare school, waar ouders van klasgenootjes intensief mee bezig waren, had Paula moeiteloos overgeslagen door Nicole klakkeloos in te schrijven bij de havo die het dichtst in de buurt was.

Nee, Nicole wist al heel lang dat ze slechts een kleine onbeduidende rol in het leven van haar moeder speelde. Vroeger had ze daar niet echt last van gehad, dat kwam pas na het overlijden van Dick. De twee jaar daarna was ze ontzettend eenzaam geweest vanwege het gemis van haar vader en bij gebrek aan een moeder die haar opving en die begrip had voor haar verdriet. Paula was veel te veel met haar eigen verdriet bezig geweest om oog en oor te hebben voor dat van haar dochter. Zij had het pas zwaar, was haar mening. Plotseling stond ze er alleen voor, moest ze zelf beslissingen nemen, zelf de financiële administratie van hun huishouden regelen en lag ze avond aan avond in haar eentje in het grote bed. Daarbij vergeleken had Nicole niets te klagen, haar leventje ging gewoon verder.

Het was Thijs gelukt een groot deel van Nicole's eenzaamheid op te heffen. Met hem had ze kunnen praten, ze deelden hetzelfde gevoel voor humor en ze voelde zich veilig bij hem. Zonder een echte vader voor haar te zijn had hij wel moeiteloos Dicks plaats in huis opgevuld en ervoor gezorgd dat Nicole weer het gevoel had een echt thuis te hebben, in plaats van slechts een plek waar ze at, sliep en haar huiswerk maakte. Nicole vreesde dat de toestand thuis nu weer hetzelfde zou worden als vier jaar geleden. Een uithuizige moeder die geen aandacht voor haar had en veel nachten die ze angstig in haar eentje door moest brengen, zonder iemand om op terug te kunnen vallen. De stilte in huis was nu al drukkend, terwijl Thijs nog geen dag weg was.

Haar sombere gedachten werden onderbroken door het melodietje van haar mobiele telefoon, iets wat bij gebrek aan vrienden zelden gebeurde en waar ze behoorlijk van schrok. Thijs, zag ze op het schermpje. Hoewel ze zelf niet had durven bellen, nam ze nu haastig op.

"Thijs, waar ben je?" vroeg ze meteen.

"In een hotel," was zijn antwoord. "Het spijt me dat het zo gelopen is, Nicole."

"Mama lijkt wel gek," zei ze somber. "Ze ligt de hele middag al in bed te huilen. Volgens mij neemt ze je onmiddellijk terug als ze de kans krijgt."

Het bleef even stil aan de andere kant.

"Die kans krijgt ze niet," zei Thijs toen. "Waarschijnlijk is het veel beter dat we uit elkaar zijn."

"Hoe kun je dat nu zeggen?" verweet Nicole hem. Voor het eerst sinds het noodlottige bericht dat Thijs vertrokken was, sprongen de tranen in haar ogen.

"We passen niet bij elkaar."

"En daar komen jullie nu achter, na vier jaar?" vroeg ze schamper. "Hadden jullie dat niet eerder kunnen bedenken. Voor ik me aan je ging hechten, bijvoorbeeld?"

"Het spijt me," zei hij opnieuw. "Ik had ook liever gezien dat het anders gelopen was."

"Je kunt toch terugkomen?" Het klonk smekend. "Een goed gesprek lost vast een heleboel op."

"Ik ben bang dat het daar te laat voor is. Je moeder was heel duidelijk. Ik heb afgedaan voor haar. Ze is woedend op me en niet zonder reden," zei Thijs eerlijk.

"Iedereen maakt fouten, ze zal het je best vergeven als je daarom vraagt," hield Nicole koppig vol. "Ze is momenteel hartstikke verdrietig, ik weet zeker dat ze je met open armen zal ontvangen als je hierheen komt."

Weer bleef het even stil, een stilte die Nicole gespannen onderging, hopend op een positief antwoord van zijn kant.

"Nee, Nicole, je zult moeten accepteren dat ik weg ben," hernam hij even later echter het gesprek. "Tussen je moeder en mij is het nooit echt goed geweest, dat realiseer ik me nu pas. Het is beter zo."

"Voor jullie misschien, voor mij niet," zei ze bitter, teleurgesteld door deze reactie. "Zonder jou is er hier geen lol aan. Kan ik niet bij jou komen wonen?" viel haar ineens hoopvol in.

"Ik zit momenteel in een hotel, dus dat is geen optie. Misschien later," hield Thijs een slag om de arm. "Ik moet eerst eens bekijken wat ik ga doen nu ik dakloos ben. Ik bel je snel weer, lieverd."

"Het zal wel," zei Nicole nukkig. Alsof ze daar iets aan had! Verdrietig verbrak ze de verbinding. Haar hoop dat dit slechts een tijdelijke breuk zou zijn, werd steeds kleiner. Lang staarde ze naar de portretfoto van Thijs, die wonderlijk goed gelukt was. Lachend staarde hij haar vanaf het glanzende fotopapier aan. In zijn donkerbruine ogen waren goudkleurige stipjes te zien, om zijn mond lagen ondiepe rimpeltjes.

"Die komen door jou," beweerde hij altijd lachend. "Jij bezorgt me vroegtijdig grijze haren en rimpels, van de zorgen. Je bent altijd zo vervelend." Een dergelijke opmerking had steevast tot een stoeipartij geleid, die Nicole altijd verloor, maar waarbij ze zich nooit onbetuigd had gelaten.

"Eens komt de dag dat ik je versla," dreigde ze hem dan.

Die dag zou nu waarschijnlijk nooit aanbreken. Ze had aan de klank van zijn stem heel goed gehoord dat zijn vage belofte wat betreft de toekomst vooral een zoethoudertje was. De kans dat ze ooit inderdaad bij hem zou gaan wonen schatte Nicole slechts heel klein in. En waarom zou hij ook? Ze waren niet eens familie van elkaar. Feitelijk had hij helemaal niets met haar te maken. Stel je voor dat hij alle kinderen van zijn vriendinnen in huis moest nemen nadat de relatie beëindigd was, dan moest hij op zijn minst een villa huren, dacht Nicole nijdig.

Weer keek ze naar de foto. Normaal gesproken tekende ze altijd alleen haar natuurfoto's na. Ze vroeg zich af of ze ook een portret zou kunnen tekenen. Ze pakte papier en begon te schetsen. Langzaam maar zeker verscheen de beeltenis van Thijs op het papier, wat haar een wonderlijk gevoel van troost gaf.

Het werd er thuis niet gezelliger op voor Nicole. Paula was vooral met zichzelf bezig en had weinig oog voor het feit dat ook Nicole iemand was kwijtgeraakt waar ze van hield. Zij had het moeilijker, vond ze. Niet alleen was ze haar partner kwijt, maar ook haar beste vriendin. Ze stortte zich opnieuw in het uitgaansleven, precies waar Nicole al bang voor was geweest.

Bijna avond aan avond struinde Paula de cafés van de stad af, op zoek naar mannen die mogelijk als vervanging konden dienen. Het gebeurde weer regelmatig dat Nicole 's morgens een vreemde man tegen het lijf liep. Sommige daarvan negeerden haar, anderen groetten haar vriendelijk, maar haar reactie was altijd stug en kortaf. Ze had geen enkele behoefte aan een nadere kennismaking met iemand die binnenkort toch weer uit haar gezichtsveld zou verdwijnen. De mannen die Paula in de kroeg oppikten, maakten nooit lang deel uit van hun leven, wist ze uit ervaring. Meestal was het slechts eenmalig. Een enkeling kwam wat vaker langs, maar dit soort relaties duurden nooit langer dan hooguit twee weken.

Ze vond die stelselmatige bezoekjes van steeds weer andere mannen vreselijk, tegelijkertijd vreesde ze de tijd dat haar moeder opnieuw een vaste vriend kreeg die bij hen in zou trekken.

Voor haar hoefde dat niet meer, hoe aardig zo'n man wellicht ook was. Ze kon er toch niet op vertrouwen dat het dan blijvend was. Voor de tweede keer in haar prille leven was ze haar houvast kwijt geraakt, zonder dat er iemand voor haar was die haar daarin begeleidde.

Ze ontweek Paula en haar eeuwige klaagzangen zoveel mogelijk. Op de dagen dat haar moeder werkte kwam ze na schooltijd gewoon naar huis, maar de andere dagen dwaalde ze urenlang door het park of door het centrum van de stad heen. Alles was beter dan aan te moeten horen hoe zielig en eenzaam haar moeder was of loftuitingen te moeten ondergaan over de nieuwste man die ze ontmoet had en die vast en zeker die eenzaamheid op zou heffen. Tot ook die nieuwe man weer uit het zicht verdween en alles weer van voren af aan begon.

Haar fototoestel, het laatste wat ze van Thijs gekregen had, koesterde Nicole als haar dierbaarste bezit. Ze droeg het altijd met zich mee in haar schooltas en maakte er veelvuldig gebruik van in het uitgestrekte park dat hun woonplaats rijk was. Iedere keer was er wel weer iets nieuws te fotograferen, ze kreeg er nooit genoeg van.

Tevreden borg ze het toestel weg na weer een paar unieke opnames van vogels die een nestje aan het bouwen waren. Na een blik op haar horloge constateerde ze dat het nog te vroeg was om naar huis te gaan. Liever wachtte ze tot het moment dat ze gingen eten, zo rond zes uur, halfzeven. Na de maaltijd kon ze dan met goed fatsoen naar haar kamer verdwijnen omdat ze haar huiswerk moest maken. Paula vroeg nooit wat ze tijdens de uren voor het eten deed. Blijkbaar vond ze het wel makkelijk dat Nicole weinig thuis was en zodoende ook niet veel aandacht vroeg. Nicole bond haar tas op de bagagedrager van haar fiets en reed naar het centrum. Met de zomer voor de deur kon ze wel wat aanvulling op haar garderobe gebruiken, dus de tijd voor ze naar huis ging zou ze benutten door vast wat winkels af te struinen om te kijken wat er allemaal zoal te koop werd aangeboden.

Ze zette haar fiets in de bewaakte stalling en slenterde op haar gemak door de winkelstraten heen. Hier en daar liep ze een winkel binnen om het aanbod te bekijken. Op een gegeven moment, ze kwam net uit een fel verlichte winkel, merkte ze op dat de lucht ineens wel erg betrok. Ze had dat nog maar net geconstateerd of er brak een enorme hoosbui los. In een mum van tijd was de net nog zo drukke straat leeg. Talloze mensen vlogen alle kanten uit om een droog plekje te vinden in een winkel of een portiek. Ook Nicole rende de eerste de beste zaak binnen. Een café, waar het op dit tijdstip al redelijk druk was, zag ze. De bar was bezet en ook aan alle tafeltjes zaten al mensen.

"Kom hier maar zitten," zei een jongen terwijl hij een uitnodigend gebaar naar de lege stoel naast hem maakte. Hij zat onderuit gezakt aan het verder lege tafeltje en rookte op zijn gemak een zelf gedraaide sigaret.

"Geldt hier geen roodverbod?" vroeg Nicole met opgetrokken neus.

De jongen begon te lachen. "Dit is een coffeeshop, liefje."

Nicole beet op haar onderlip. Een coffeeshop, de plek waar legaal drugs werd verhandeld. Ze was helemaal niet thuis in dergelijke kringen, dit was de eerste keer dat ze zich in zo'n pand bevond. Haar blik dwaalde naar het raam, maar wat ze daar buiten zag lokte haar ook niet bepaald aan. De lucht was inktzwart en het zag er niet naar uit dat de bui die zo plotseling was losgebarsten snel ten einde zou komen. Alles was in een mum van tijd doorweekt.

"Het is veilig, hoor, ik bijt niet," grinnikte de jongen. "Ik ben minder gevaarlijk dan dat noodweer."

Nicole aarzelde nog even, nam toen toch plaats op de lege stoel naast hem.

"Jij bent hier vast voor het eerst," constateerde hij. Weer nam hij een lange haal van zijn sigaret. Langzaam en duidelijk genietend blies hij de rook vervolgens uit.

"Wat vind je daar lekker aan?" vroeg Nicole impulsief.

"Alles, liefje. De smaak, de geur, de uitwerking. Je wordt er heerlijk relaxed van. Proberen?" Uitnodigend hield hij haar de joint voor.

Nicole week iets achteruit, ze trok een vies gezicht. "Nee, dank je. Het stinkt."

Hij begon hard te lachen. "Een groentje, zoals ik al dacht. Je bent hier dus echt alleen maar naar binnen gekomen om te schuilen voor de regen?"

Nicole knikte. "Die bui overviel me. Ik ben gewoon de eerste deur binnengegaan die ik zag."

"Misschien is dat wel voorbestemd," sprak hij. "Dan is het gaan regenen zodat wij elkaar zouden ontmoeten. Geloof je daarin?"

"Niet echt." Hoewel ze er beslist geen bezwaar tegen zou hebben om hem vaker te zien, voegde Nicole daar in gedachten aan toe. Tersluiks nam ze hem op. Behalve dat hij haar erg aardig leek, was hij ook knap. Hij had bijna zwart haar, donkerbruine ogen en een regelmatig gevormd, knap gezicht. Het enige wat iets uit de toon viel was zijn wat te grote en ietwat kromme neus, maar dat maakte het totaalplaatje juist nog aantrekkelijker. Het maakte hem echt en menselijk. Hij was het soort jongen waar de meisjes in haar klas over zwijmelden.

"Ik heet Jordy," zei hij ineens.

"Nicole."

"Nicole." Hij sprak haar naam uit alsof hij hem op zijn tong proefde. "Je zit nog op school blijkbaar." Hij knikte naar haar schooltas, die ze angstvallig vasthield.

"De havo," bevestigde ze.

"Hoor je dan nu niet thuis te zitten om braaf je huiswerk te maken?" vroeg Jordy plagend.

Ze trok met haar schouders. "Dat huis probeer ik juist te ontvluchten," zei ze kortaf.

Hij knikte alsof hij daar alles van begreep. "Dan heb je het juiste vluchtadres gevonden. Hier is het warm, droog en gezellig. Ik kom hier heel vaak."

"Je werkt niet?" vroeg ze.

"Waarom zou ik? Onze hele maatschappij is toch al verrot. Mensen werken zich in het zweet voor een paar rotcenten, waar ze uiteindelijk niets van overhouden. Alle lasten worden voortdurend verhoogd, je mag steeds minder kosten aftrekken van de belasting en de bedragen voor eigen risico's lopen de spuigaten uit. Daar heb ik dus helemaal geen zin in."

"Een uitkering is anders ook geen vetpot en ook jouw uitgaven stijgen, neem ik aan." Nicole ging er eens goed voor zitten. Dit waren gesprekken waar ze wel van hield. Met Thijs had ze regelmatig dit soort discussies gevoerd.

"Door mijn uitkering leef ik op het bestaansminimum en daardoor heb ik recht op diverse toeslagen die ik niet meer krijg als ik ga werken voor een loon wat iets hoger ligt dan wat ik nu heb," legde Jordy haar uit. "Huurtoeslag, zorgtoeslag, noem maar op. Uiteindelijk komt het erop neer dat ik er financieel alleen maar op achteruit ga als ik een baan aanneem en ik zou natuurlijk wel gek zijn als ik daar intrap. Goede banen zijn er nu eenmaal niet te vinden voor vroegtijdige schoolverlaters zoals ik, dus dan verval ik in baantjes die het minimumloon uitbetalen. Heb je enig idee hoe weinig dat is?"

"Waarom ga je dan niet terug naar school?" vroeg Nicole simpel. "Volg een opleiding waarmee je straks wel een goede baan kunt vinden. Het moet toch totaal niet bevredigend zijn om je handen op te houden en 'dank je wel' tegen de staat te moeten zeggen?" Jordy schoot hardop in de lach, zodat diverse mensen hen nieuwsgierig aankeken. "Wat een heerlijk verfrissende ideeën houd jij er op na. Wacht maar totdat je zelf wordt losgelaten in de maatschappij, schatje. Dan zijn je idealen snel verdwenen, daar durf ik wel om te wedden met je. Overigens ben ik helemaal niet van plan om de staat te bedanken voor het feit dat ik een uitkering krijg. Volgens de wet heb ik daar gewoon recht op en als burger maak ik gebruik van mijn rechten. Ik ben er het type niet naar om mee te doen met de ratrace van steeds meer geld verdienen, wat vervolgens net zo snel weer wordt uitgegeven. Iedereen werkt zich een slag in de rondte om maar meer spullen te kunnen kopen dan de buren. Dat is een instelling die ik niet gezond vind."

Daar zat wel iets in, moest Nicole toegeven. Hoewel ze zelf totaal anders in het leven stond, kon ze niet ontkennen dat Jordy's stellingen een kern van waarheid bevatten. Het kon weleens heel interessant zijn om daarover van gedachten te wisselen met hem. Ze leunde achterover op de ongemakkelijke, plastic stoel. Achteraf bezien was het helemaal niet zo'n slecht idee geweest om hier naar binnen te lopen.

HOOFDSTUK 6

De rest van de middag vloog voorbij. Nicole raakte steeds meer in de ban van deze Jordy met zijn eigenzinnige ideeën en relaxte houding. Zijn totaal andere levensstijl boeide haar. Zelf had ze altijd geleerd dat een mens niets bereikte zonder goede opleiding en dat niet werken ook niet eten betekende. Dat laatste was een geliefd motto van Dick geweest. Mensen die niet wilden werken en gebruik maakten van een uitkering terwijl dat niet strikt noodzakelijk was, waren de ondergang van de maatschappij, had hij altijd beweerd. Hij was dan ook een groot voorstander geweest van het inkorten van uitkeringen voor mensen die niet bereid waren zelf de kost te verdienen.

"Iedereen met twee gezonde armen en twee gezonde benen kan in zijn eigen levensonderhoud voorzien, ook al moet je soms onder je niveau werken om dat te bewerkstelligen," placht hij te zeggen. Jong als ze was had Nicole deze ideeën klakkeloos overgenomen. Ze wist niet beter dan dat het infaam was om te profiteren van het sociale stelsel, dat tenslotte ooit opgezet was om mensen in nood te helpen. Dick kon zich enorm opwinden over het misbruik dat ervan werd gemaakt. En nu zat er ineens iemand tegenover haar die daar heel anders over dacht. Iemand die precies deed waar haar vader zo'n hekel aan had gehad en die dat ook nog heel normaal vond. Iemand die daar zelfs, naar zijn eigen mening, recht op had. Waar hij dat recht vandaan haalde was Nicole volkomen onduidelijk, toch luisterde ze aandachtig naar hem.

"Je maakt natuurlijk wel misbruik van ons sociale stelsel," zei ze na zijn verhandeling.

"Van wie heb jij die zin overgenomen?" vroeg Jordy lachend en totaal niet beledigd. "Want ik kan me niet voorstellen dat je die zelf hebt verzonnen. Kom nou, Nicole. Onze regering houdt dit toch in stand? Een baan levert me een paar tientjes per maand meer op. Nou, voor een dergelijk bedrag kom ik mijn bed niet uit. Dat zouden ze zelf ook niet doen, geloof me. Iedereen die zijn mond vol heeft over principes verdient zelf genoeg om zorgeloos te kunnen leven, maar ondertussen leveren ze wel commentaar op mensen die het minder getroffen hebben. Als ze die lonen voor de gewone mensen nu eens flink omhoog zouden gooien, was het wat anders."

"Of de uitkeringen verlagen," waagde Nicole te zeggen. "Dat komt tenslotte op hetzelfde neer. Als de kloof tussen uitkering en loon groter wordt, ben je dus wel bereid te werken, proef ik uit jouw woorden."

"Dan moet er ook nog werk te vinden zijn," weerlegde Jordy dat. "De banen liggen niet voor het opscheppen, liefje. Er is simpelweg geen werk genoeg voor ons allemaal. Het zou ook niet eerlijk zijn als ik een baan wegkaap voor een ander die hem wél graag wil hebben, terwijl het voor mij niet per se hoeft. Kijk, er zullen altijd mensen zijn die in de WW of de bijstand lopen, dat is onvermijdelijk. Laat mij dan maar een van die mensen zijn, dan mag een ander gaan werken voor een hongerloontje. Zo leveren we allemaal ons eigen deel aan de maatschappij." Hij lachte zelf luid om zijn eigen grapje.

"Mijn vader zou een vreselijke hekel aan jou hebben," zei Nicole. Weer lachte hij. In de korte tijd dat ze hem kende had Nicole al gemerkt dat Jordy zich nergens druk om maakte en alles zorgeloos naast zich neer legde. Eigenlijk beviel deze houding haar wel. Zelf had ze de neiging om veel te piekeren, dus het was een verademing om te praten met iemand die daar geen last van had. Hij lachte veel en aanstekelijk en stond blijkbaar positief in het leven. Was dat niet veel belangrijker dan het hebben van een goede baan?

"Als jij daar maar niet zo over denkt," zei hij terwijl hij even licht haar wang streelde. "Dat zou ik me namelijk wel aantrekken. Hoe je vader erover denkt zal me een zorg wezen."

"Dacht," verbeterde ze hem. "Hij is zes jaar geleden overleden." Ze beet op haar lip in een poging de tranen terug te dringen die nog steeds in haar ogen sprongen als ze dit aan iemand vertelde.

"Daarom ben jij waarschijnlijk zo tobberig en gespannen," knikte Jordy. "Het is er thuis zeker niet beter op geworden sindsdien?"

"Dat is een understatement," reageerde Nicole bitter. "Mijn moeder is sindsdien op mannenjacht en er zijn al heel wat vage figuren bij ons over de vloer geweest. Daarna heeft ze vier jaar lang een vaste vriend gehad die bij ons woonde, maar die heeft ze er kort geleden uitgezet omdat hij vreemdging. Nu is alles weer van voren af aan begonnen."

"Wat verklaart waarom jij je tijd liever buitenshuis doorbrengt," begreep Jordy. "Kind, ik weet daar alles van. Bij mij thuis was het ook niet bepaald koek en ei, daarom ben ik zo snel mogelijk op mezelf gaan wonen. Is dat ook niet iets voor jou?"

"Ik ben zestien," antwoordde Nicole met een klein lachje. Hij schatte haar blijkbaar ouder en dat streelde haar ijdelheid.

"Voorlopig moet ik nog een jaar naar school, daarna zal ik wel een beroepsopleiding gaan doen. Het duurt nog wel even voordat ik zelfstandig ben."

"Zo'n schoolopleiding is een wassen neus, daar heb je later niets meer aan. Ervaring, dat vragen ze op een werkvloer. Het liefst willen ze mensen van achttien, die zijn lekker goedkoop, maar dan wel met tien jaar ervaring," snoof Jordy minachtend. "Aan de bak komen doe je toch niet, het is allemaal verspilde moeite." Terwijl hij sprak rolde hij een nieuwe joint. Hij stak hem aan en ademde de rook diep in. Er verscheen een verheerlijkte blik in zijn ogen. Weer bood hij de joint aan Nicole aan, deze keer pakte ze hem aarzelend aan. Ze had nog nooit gerookt en wist niet eens hoe ze zo'n ding vast moest houden. Zij wilde zich echter ook weleens relaxed en gelukkig voelen, misschien was dit de manier. Jordy zag er in ieder geval niet uit alsof hij gebukt ging onder de problemen van het leven. Voorzichtig nam ze een trekje. De scherpe smaak brandde in haar longen, waardoor ze een heftige hoestbui kreeg. De tranen rolden over haar wangen. Kalmerend klopte Jordy op haar rug. "Het went wel," sprak hij bemoedigend. "Straks wil je niet anders meer."

"Ik geloof niet dat dit iets voor mij is," bracht ze met moeite uit. "Het is me trouwens toch te duur, dus laat maar zitten." Ze keek op haar horloge en schrok toen ze zag hoe laat het was. Haastig stond ze op. "Ik moet gaan. Mijn moeder zal niet weten waar ik blijf."

"Ik kreeg uit jouw verhalen anders niet de indruk dat ze zich daar erg druk om maakt. Waarom blijf je niet nog even? Ik vind je leuk, Nicole."

De verleiding was heel groot voor Nicole. Er was nog nooit een jongen geweest die gezegd had dat hij haar leuk vond en ze voelde zich behoorlijk gevleid. Hij had haar nu al meer aandacht gegeven dan haar moeder in een jaar deed. Ze aarzelde dan ook, besloot toch om naar huis te gaan om ruzie met haar moeder te vermijden. Het was allemaal al problematisch genoeg zonder dat.

"Ik moet echt gaan. Misschien zien we elkaar nog eens," zei ze aarzelend.

"Dat mag ik hopen, ja. Wacht even." Jordy schreef zijn adres en telefoonnummer op een bierviltje en overhandigde haar dat. "Je kunt me altijd bellen of naar me toekomen als je het thuis niet meer ziet zitten. Als ik er niet ben zit ik meestal hier. Wij dolende zielen moeten elkaar maar een beetje helpen, vind je ook niet?" Weer lachte hij. "Sterkte, schatje. Vergeet niet dat je altijd bij mij terecht kunt als je dat wilt."

Nicole borg het bierviltje zorgvuldig in haar tas. Pas later realiseerde ze zich dat Jordy haar telefoonnummer niet had gevraagd. Een vervolg op hun contact zou dus in ieder geval van haar kant moeten komen.

Paula zat met een paar boterhammen voor de tv. Ze keek verstoord op bij Nicole's binnenkomst.

"Waar heb jij uitgehangen? Ik heb op je zitten wachten met eten, maar het duurde me nou te lang. Een telefoontje als je niet thuiskomt is zeker teveel gevraagd?"

"Je had mij ook kunnen bellen," zei Nicole.

"Ja, natuurlijk, het moet allemaal weer van mijn kant komen. Je weet dat we rond zes uur eten, dus als je dat niet redt ben jij degene die moet bellen," wees Paula haar terecht.

"Het is anders niet zo dat je zorgvuldig bereide maaltijd koud staat te worden," hoonde Nicole met een blik op haar moeders bord. Sinds Thijs het huis uit was, was het gedaan met de uitgebreide maaltijden. Ze aten weer net als vroeger kant-en-klaarmaaltijden, patat, pizza of brood. Paula vond het weinig nut hebben om zich slechts voor hun tweeën uit te sloven in de keuken.

"Je zult zelf je brood klaar moeten maken, ik ga zo weg," kondigde Paula aan terwijl ze op haar horloge keek. "Ik heb een afspraak met een hele leuke man."

"Een van je kroegvriendjes?" informeerde Nicole.

Het sarcasme in haar stem ontging Paula, of ze negeerde het bewust. "Nee, we kennen elkaar van het internet, via een datingsite," vertelde ze. "Hij is tweeëndertig, dus zes jaar jonger dan ik, maar dat belette hem niet om me mee uit te vragen."

"Die man moet stapelgek zijn," mompelde Nicole.

"We hadden direct een klik samen. Bovendien vond hij mij er op mijn profielfoto een stuk jonger uitzien," zei Paula triomfantelijk. Behaagziek wreef ze over haar slanke heupen. "Ik heb het blijkbaar nog steeds."

Misselijk keerde Nicole zich om. Dat eeuwige geflirt van haar moeder hing haar danig de keel uit. Ze praatte over mannen, was met mannen op stap of ging met mannen naar bed, iets anders scheen ze niet belangrijk te vinden.

In de keuken bleef ze besluiteloos voor het aanrecht staan. Haar maag rammelde, toch had ze geen trek in eten. Zeker niet in het brood dat al twee dagen in de trommel lag.

"Nou, ik ga." Paula verscheen in de deuropening. Ze had haar jas al aan. "Wacht maar niet op mij."

"Alsof ik dat van plan was," bromde Nicole. Ze sprak echter tegen een dichte deur, Paula had de keuken alweer verlaten. De klap van de huisdeur die in het slot viel vertelde Nicole dat ze alleen was. Alweer. Was ze daarvoor naar huis toe gekomen? Op dat moment had ze spijt dat ze niet op Jordy's voorstel was ingegaan om langer te blijven. Haar nette gedrag leidde nergens toe, dat bleek wel weer. Het was haar moeder waarschijnlijk niet eens opgevallen als ze helemaal niet thuis was gekomen. In ieder geval had ze zich daar geen zorgen over gemaakt, dat had haar reactie wel bewezen. Zij, Nicole, had ergens hevig bloedend in een steeg kunnen liggen, maar Paula was toch wel vrolijk naar haar afspraakje toe gegaan. Die onbekende man was belangrijker dan haar eigen dochter, vooral nadat hij haar zoveel jonger had geschat.

Nicole trok het bierviltje uit haar tas. Zou ze durven bellen? Of zou ze teruggaan naar de coffeeshop in de hoop dat hij daar nog zou zijn? Maar als hij er niet meer was, stond ze daar voor schut. Langzaam, nog steeds niet zeker wetend of dit verstandig was, drukten haar vingers de cijfers van zijn telefoonnummer in. Na het tiende cijfer drukte ze echter snel op wissen. Waarschijnlijk dacht hij dat ze een stalker was of zo, als ze hem nu al belde. Ze waren pas een halfuur geleden uit elkaar gegaan. Ze kon beter gewoon haar huiswerk gaan maken.

Plichtsgetrouw stalde ze haar boeken en schriften uit op haar bureau en keek ze in haar agenda wat ze voor de dag erna moest maken. Voor ze kon beginnen liet haar mobiel echter zijn melodietje horen. Jordy, dacht ze heel even met een blij opspringend hart. Tegelijkertijd realiseerde ze zich dat dit niet kon. Het bleek Thijs te zijn.

"Hoe is het met mijn stiefdochter?" informeerde hij hartelijk.

"Gaat wel. Ik heb vanmiddag een hartstikke leuke jongen ontmoet," flapte ze eruit.

"Dat is mooi. Luister eens, ik heb een gesprek met mijn werkgever gehad. Ze willen me uitzenden naar het buitenland," vertelde Thijs zonder dieper op haar mededeling in te gaan. "Zoals je weet hebben wij filialen door heel Europa heen, ik kan de leiding krijgen over een filiaal in Frankrijk. De taal is geen probleem, want ik spreek vloeiend Frans. Dit is natuurlijk wel een hele mooie kans voor me om opnieuw te beginnen."

"En om je verdriet te vergeten," zei Nicole hatelijk. Zijn mededeling viel haar rauw op haar dak. Ook al maakte Thijs geen deel meer uit van hun gezin, ze had nog wel regelmatig contact met hem. Ergens had ze nog steeds de hoop dat ze bij hem kon gaan wonen als hij zich opnieuw gesetteld had. Dat vleugje hoop verdween onmiddellijk bij zijn mededeling.

"Ik kan zo'n aanbod toch onmogelijk laten schieten omdat de dochter van mijn ex-vriendin het niet leuk vindt als ik vertrek," verdedigde Thijs zichzelf. Hij begreep meteen waar de schoen wrong bij Nicole, daar was hij al op voorbereid geweest toen hij haar telefoonnummer intoetste. Wijselijk vertelde hij haar maar niet dat hij een overplaatsing naar het buitenland zelf had aangekaart bij de directie. Hij had het wel gezien hier in Nederland. Elma achtervolgde hem alsof hij haar persoonlijke bezit was en dat benauwde hem behoorlijk. Hij had totaal geen interesse in een relatie met haar. Hij was alleen maar met haar naar bed geweest omdat die mogelijkheid er was. Van het begin af aan had ze zich al opgedrongen aan hem, hij vond het nog knap van zichzelf dat hij haar vier jaar lang had kunnen weerstaan, want Elma was een aantrekkelijke vrouw. "Dit is de kans van mijn leven, Nicole. Als de mogelijkheid er was zou ik je meenemen, dat weet je."

"Het zal wel," reageerde ze vermoeid. "Succes, Thijs, we spreken elkaar wel weer." Ze verbrak de verbinding en wist dat dit de laatste keer was dat ze contact met hem had gehad. Als hij eenmaal in Frankrijk zat zou hij haar gauw vergeten zijn, wat dat betrof koesterde ze geen enkele illusie meer. Was er eigenlijk iemand op deze hele wereld die zich wel iets van haar aantrok? Ze kwam tot de trieste conclusie van niet. De enige die ze kon bedenken was een jongen die ze slechts een paar uur geleden ontmoet had, zieliger kon het haast niet.

Met een gebaar van walging schoof ze haar leerboeken van zich af. Als er iets was waar ze op dat moment geen zin in had, was het wel haar huiswerk. Plotseling resoluut pakte ze nu toch weer haar mobiel en zonder er verder over na te denken toetste ze opnieuw het nummer van Jordy in. Deze keer krabbelde ze niet op het laatste moment terug.

"Jordy," klonk het kort in haar oor.

"Hoi, eh… Met Nicole," zei ze zacht.

"Hé liefje," reageerde hij enthousiast. "Zo snel had ik je telefoontje nog niet verwacht. Troubles thuis? Was mama boos omdat je niet op tijd was voor het eten?"

"Welk eten?" vroeg Nicole. "Ik kon zelf een paar oude boterhammen maken, iets anders was er niet. Mijn moeder is trou-

wens vlak nadat ik thuiskwam weggegaan. Ze had weer een afspraakje."

"Met papa nummer zoveel," grinnikte Jordy. "Arme meid. Je zit
nu dus alleen thuis? Kom naar mij toe."

"Hoe… Wat… Wat bedoel je?" stotterde Nicole beduusd. Ze had
gehoopt dat hij nog even met haar zou willen praten en haar telefoontje niet af zou doen als iets wat hem hinderde, maar zo'n
spontane, gemakkelijke uitnodiging had ze zeker niet verwacht.

"Precies wat ik zeg. Ik ben thuis, je hebt mijn adres."

"Kan ik dat zomaar doen?" vroeg ze zich hardop af.

"Waarom niet? Je moet wat minder piekeren en wat meer doen.
Jij bent alleen, ik ben alleen. Dat is simpel op te lossen."

"Oké, ik kom eraan," besloot ze ineens overmoedig.

Opgewonden pakte ze haar jas en haar fietssleutel. Dit was een
heel onverwachte wending van de dag!

Zo snel mogelijk reed ze naar het centrum, waar zich ergens de
straat moest bevinden waar Jordy woonde. Het was even zoeken voor haar, want in deze buurt was ze nog nooit geweest.
Het bleek een sombere straat te zijn met oude huizen waarvan
het onderhoud hier en daar fors te wensen overliet. Het bewuste
huisnummer bevatte vier bellen. Slechts bij twee ervan hing een
naamkaartje, die van Jordy was er niet bij. Omdat hij haar verteld had dat hij de zolderverdieping bewoonde, drukte ze aarzelend op de bovenste bel. De deur sprong automatisch open. Naar
binnen kijkend zag ze een donker haveloos trappenhuis.

"Kom maar boven!" hoorde ze in de verte de stem van Jordy
roepen. "Drie trappen op."

Ademloos begon Nicole aan de klim. De gedachte of ze hier wel goed aan deed drong zich aan haar op, maar duwde ze beslist weer weg. Het alternatief was de hele avond in haar eentje thuis doorbrengen en daar had ze ook geen zin in. Deze Jordy was tenminste aardig voor haar. Hij had haar nu al laten blijken belangstelling voor haar te hebben, meer dan haar moeder en Thijs bij elkaar.

Jordy stond haar boven aan de derde trap breed lachend op te wachten.

"Daar is mijn nieuwe vriendinnetje dan. Wees welkom in mijn nederige stulp." Hij pakte haar vast en gaf haar een zoen op haar wang, die Nicole blozend onderging.

Ze werd helemaal warm bij deze spontane begroeting. Wanneer was iemand voor het laatst zo lief tegen haar geweest? Lang, heel lang geleden. Blij liep ze achter hem aan de armoedige zolderkamer in. Het was niet veel soeps, oordeelde ze met een snelle blik om zich heen. De muren waren kaal, het houtwerk hier en daar gebladderd. De schaarse meubelstukken die er stonden pasten absoluut niet bij elkaar en kwamen waarschijnlijk regelrecht van de kringloopwinkel of de vuilstortplaats af. Maar dat gaf allemaal niet. Het was hier weliswaar niet mooi ingericht of strak geverfd, het was hier tenminste wel gezellig. En ze was hier welkom, een ongekend gevoel voor Nicole.

HOOFDSTUK 7

Het werd de gezelligste avond die Nicole in lange tijd beleefd had. Jordy bleek aangenaam gezelschap te zijn bij wie Nicole al haar problemen kwijt kon. Het feit dat hij overal erg luchtig op reageerde stoorde haar niet. Integendeel zelfs. Ze vond het juist prettig dat hij alles nonchalant afdeed, erom lachte en ten slotte beweerde dat het maar goed was dat ze hem tegen was gekomen. "Ik zei je vanmiddag al dat dit voorbestemd was. Die regenbui kwam niet voor niets zomaar uit de lucht vallen," zei hij.

Nicole begon te lachen. "Ik zou daar inderdaad bijna in gaan geloven, ja. Mag ik nog een cola?"

Hij maakte een vaag gebaar met zijn hand naar de geïmproviseerde keukenhoek, die uit weinig anders bestond dan een ijskast, een tweepitsgasstel en een plank. Water moest hij uit het fonteintje in de gang halen.

"Help jezelf. Sorry, luxe kan ik je hier niet bieden."

"Daar verlang ik ook helemaal niet naar."

"Dat komt dan heel goed uit," zei hij met een glimlach. "Het zegt mij ook weinig. Ik heb een dak boven mijn hoofd, ik kan me wassen en ik heb genoeg te eten om niet te verhongeren. Wat wil een mens nog meer?"

"Dat klinkt alsof je een heel tevreden mens bent," merkte Nicole op.

"Nou, ik zou best een miljoen willen winnen, zodat ik geen geldzorgen meer heb," bekende hij eerlijk. "Het is toch iedere maand weer puzzelen hoe ik uit moet komen tot mijn volgende uitkering gestort wordt. Alleen maak ik me daar niet druk om, ik neem de

74

zaken zoals ze zijn."

Nicole schonk twee glazen cola in en gaf er daar een van aan hem. Die van haar dronk ze in één teug leeg. Ze voelde inmiddels dat ze honger had, maar aan de lege ijskast had ze al gezien dat Jordy niet echt iets eetbaars in huis had. De keuken was overigens in zo'n deplorabele staat dat ze het niet aan zou durven om daar iets in klaar te maken, dacht ze stiekem bij zichzelf. Het hardop zeggen deed ze niet, want ze wilde hem zeker niet beledigen. Hoewel Jordy waarschijnlijk om een dergelijke opmerking zou gaan lachen om vervolgens te beweren dat ze vrij was om hem schoon te maken als ze zich daar zo aan stoorde. Eigenlijk kon ze dat best weleens doen, peinsde Nicole. Hij was zo lief voor haar en had haar zo goed opgevangen vandaag, als tegenprestatie kon ze zijn behuizing weleens een grote beurt geven. Het was hier niet groot, dus zoveel werk was dat niet.

"Zal ik hier eens een keer goed schoonmaken?" stelde ze impulsief voor.

Jordy trok één wenkbrauw hoog op, wat hem vreemd genoeg nog aantrekkelijker maakte. "Waarom zou je dat doen?"

"Waarom niet?" was haar tegenvraag. "Ik wil het graag doen voor je. Ik eh…" Ze bloosde, gooide er toen toch uit wat ze dacht. "Ik vind je erg leuk en wil je graag vaker zien."

"Dat klinkt me als muziek in mijn oren, maar om me te zien hoef je je niet verplicht te voelen mijn zolder met bezemen te keren. Zonder dat ben je ook welkom," was zijn reactie. "Of vind je het hier zo vies dat je anders liever niet komt?"

Haar rode wangen vertelden hem dat hij recht in de roos had geschoten. Zoals Nicole al verwacht had, werd hij er niet boos om.

"Doe wat je niet laten kunt," zei hij slechts.

Heel even viel er een stilte tussen hen, die plotseling onderbroken werd door Nicole's hevig rammelde maag. Ze schrok ervan en sloeg snel haar armen over haar maag heen, maar natuurlijk had hij het gehoord. Waarschijnlijk hadden de buren van de begane grond het zelfs gehoord, dacht ze somber.

Alweer klonk zijn hartelijke lach door de ruimte. "Volgens mij heb jij honger."

"En niet zo'n beetje ook," zei Nicole. Ontkennen had nu geen nut meer.

"Kom, daar gaan we wat aan doen." Jordy sprong overeind en trok haar aan haar arm omhoog. "Hier om de hoek zit een goede patattent. Wil je er mayonaise op?"

Als twee uitgelaten tieners renden ze hand in hand over de straat heen. Nicole was geroerd door het feit dat hij op deze manier blijk gaf dat hij voor haar wilde zorgen, al ging het slechts om een zak patat. Haar moeder zou waarschijnlijk alleen opgemerkt hebben dat het haar eigen schuld was en dat ze had moeten eten. Het zou niet in haar hoofd opkomen iets te eten te halen voor haar dochter.

De bewuste snackbar was heel klein en ook niet al te schoon, oordeelde ze met een snelle blik om haar heen. Er stonden slechts twee tafeltjes, allebei met twee stoelen, aan weerskanten van de counter. De man die daar achter stond was dik en zag er niet heel verzorgd uit. Zijn kin vertoonde baardstoppels van minstens twee dagen en het schort dat hij over zijn omvangrijke buik droeg zat vol vetvlekken.

"Hé Harry," begroette Jordy hem. "Doe mij twee patat met. En niet zo scheutig vandaag, het is voor mijn vriendinnetje en die heeft honger."

Van over de rand van zijn bril heen keek Harry hem aan. "Heb je eindelijk weer eens een meissie, jongen? Nou, je kon het slechter treffen. Wat ziet zo'n schoonheid in jou?"

"Mijn onweerstaanbare charme," grinnikte Jordy.

"Kijk maar uit voor hem." Harry wees met een vinger naar Jordy. "Met die charme van hem heeft hij hier anders wel nog een rekening staan van dik twintig euro. Wanneer ga je die eens betalen?"

"Dat doe ik wel," zei Nicole haastig. "Als we nu maar snel die patat krijgen, ik barst van de honger."

Harry's schaterlach vulde de kleine ruimte terwijl hij twee royale scheppen patat in het vet gooide.

"In dat geval doe ik er wat extra's bij. Ik zei al dat je het getroffen had, jongen."

"Je hoeft mijn rekening niet te betalen," zei Jordy zacht tegen Nicole. "Dat komt heus wel goed als mijn uitkering gestort is, dat weet Harry ook."

"Ik doe het graag voor je," zei Nicole eenvoudig. "Maak je er niet druk om. Volgende keer trakteer jij mij. We leven tenslotte niet meer in de achttiende eeuw, toen het gebruikelijk was dat de man altijd overal voor betaalde."

"Gelukkig niet," grinnikte hij alweer. "Maar jij zult ook geen leggende gelden hebben."

Nicole haalde haar schouders op. "Ik krijg zakgeld dat ik bijna nergens aan uitgeef. Het is niet veel, maar ik doe er weinig mee."

"Kijk eens, mensen. Twee patat royaal," zei Harry luid. Met een klap zette hij twee grote, volle borden op de counter. "Eet sma-kelijk."

"Kijk, dat is nog eens een portie," grinnikte Jordy. "Je staat nu al in een goed blaadje bij hem, Nicole. Normaal gesproken krijg ik nog niet de helft van deze hoeveelheid."

"Dat komt omdat zij betaalt," zei Harry goedmoedig.

Bij gebrek aan andere klanten leunde hij met zijn dikke armen over elkaar heen geslagen tegen de muur aan, kijkend naar het jonge stel dat plaatsnam aan een van de tafeltjes.

"Dit smaakt heerlijk," genoot Nicole na een paar grote happen.

"Dit zaakje is misschien niet veel soeps, maar hij heeft goede spullen," zei Jordy. Met zijn rechterhand pakte hij de patatjes van zijn bord, zijn linkerhand legde hij op die van Nicole.

Ze kreeg meteen kippenvel op haar armen bij dit gebaar. Verle-gen sloeg ze haar ogen neer. Ze had totaal geen ervaring op het gebied van jongens en wist zich niet goed een houding te geven bij de duidelijke bewondering die uit zijn ogen straalde.

"Ik ben zo blij met die onverwachte regenbui vanmiddag," fluis-terde Jordy. "Het is lang geleden dat ik verliefd ben geweest, maar ik weet nu weer hoe dat voelt."

"Hé, niet fluisteren in gezelschap," brulde Harry vanaf zijn plek-je achter de toonbank. "Dat is heel onbeleefd."

"Privégesprekken af willen luisteren, dat is pas onbeleefd," gaf Jordy terug. Hij knipoogde naar Nicole, die bijna niet meer over haar wangen heen kon kijken van verlegenheid. Ondanks dat had ze het prima naar haar zin. De aanwezigheid van Jordy voel-de nu al heel vertrouwd aan en zelfs Harry vond ze aardig. De patat smaakte haar beter dan een driegangen-diner gedaan zou hebben, wat maar weer bewees dat het niet zozeer ging om wat er op het bord lag, maar om het gezelschap dat erbij zat. Ze kon zich niet heugen wanneer ze het zo leuk had gehad.

Met de armen om elkaar heen geslagen slenterden ze terug naar Jordy's zolder. De schemering begon te vallen en plezierig bedacht Nicole dat ze nu aan haar huiswerk gezeten zou hebben als ze niet de moed had gehad om Jordy te bellen. Wat was ze blij dat ze dat wel gedaan had! De zwoele lentelucht voelde aangenaam aan en ze ging zich steeds beter op haar gemak voelen bij hem. Vreemd dat ze hem vanochtend nog niet eens had gekend en hij nu al een van haar beste vrienden was. Nou was dat in haar geval niet zo moeilijk, want ze had, tot nu toe dus, helemaal geen vrienden. Dit was dan ook een ongekende ervaring voor Nicole en ze genoot er met volle teugen van. Ze stribbelde ook niet tegen toen Jordy haar, eenmaal binnen, in zijn armen nam en zijn lippen op die van haar drukte. Vlinders dwarrelden rond in haar buik, haar nekhaartjes gingen recht overeind staan van opwinding. Eindelijk voelde ze zich weer eens geliefd, een gevoel wat ze heel lang niet had ervaren.

"Ik geloof dat ik verliefd op je aan het worden ben," fluisterde Jordy in haar oor.

"Ik ook op jou," bekende Nicole. Ze durfde hem niet aan te kijken bij die woorden, maar hij pakte haar kin en duwde haar gezicht iets omhoog, zodat ze wel moest. Weer belandden zijn lippen op de hare, hartstochtelijker dit keer. Zijn hand dwaalde over haar lichaam, waardoor Nicole rillingen van genot over haar rug voelde lopen. Ze wist zelf niet wat haar overkwam. Dit was zo wonderlijk. Vanochtend was ze nog de eenzaamste tiener ter wereld geweest, nu lag ze in de armen van een zeer aantrekkelijke man. Haar klasgenoten zouden stikjaloers op haar zijn als ze haar konden zien, wist ze.

Jordy's kussen werden steeds heftiger en dwingender. Na een aantal minuten hield Nicole ademloos haar hoofd achterover. Kleine zweetdruppeltjes parelden op haar voorhoofd, haar hart bonsde luid.

"Niet stoppen," mompelde Jordy. Zijn lippen trokken een spoor van haar mond, over haar hals, naar haar borsten. "Je blijft vannacht toch wel bij me?"

Nicole schrok. Dat was nooit haar bedoeling geweest. Weggaan was echter iets wat ze ook niet over haar hart kon verkrijgen. Als ze dat deed was ze Jordy misschien weer kwijt voor hun vriendschap goed en wel begonnen was. Bij die gedachte brak het angstzweet haar uit. Ze was al te veel geliefde mensen kwijtgeraakt, dat wilde ze niet nog een keer laten gebeuren. Maar vannacht bij hem blijven hield consequenties in waarvan ze niet zeker wist of ze daar aan toe was. Aan de andere kant lokte weer een nacht alleen in het grote, altijd wel ergens krakende huis, haar ook niet aan. Haar moeder kennende kwam ze of helemaal niet thuis, of samen met die nieuwe vriend van haar. Allebei die opties stonden haar tegen. Toch bij Jordy blijven dus? Ten prooi aan tegenstrijdige gevoelens deed ze een stapje achteruit.

"Ik weet niet," mompelde ze onzeker. "Ik bedoel… Ik heb nog nooit…"

"Dat hoeft geen bezwaar te zijn. Ik beloof je dat ik heel voorzichtig zal zijn," zei hij, zijn stem schor van verlangen. Hij pakte haar hand en legde die onder zijn shirt op zijn blote huid.

Aarzelend, maar allengs zekerder begon Nicole zijn lichaam te verkennen. Dit was vreemd, onbekend, maar tegelijkertijd zeer opwindend. Ze had genoeg tijdschriften gelezen en tv-programma's gezien om in theorie te weten hoe seks in zijn werk ging, maar het zelf beleven was toch heel iets anders. Haar lichaam had nog nooit zo gereageerd, maar het voelde te goed om ermee te stoppen. Waarom zou ze eigenlijk ook?

Plotseling voelde ze zich overmoedig worden. Hier was iemand die van haar hield, écht van haar hield, en die graag wilde dat ze bleef. Ze zou wel gek zijn als ze daar geen gehoor aan gaf! Giechelend liet ze zich meevoeren naar zijn smalle bed, dat opgesteld stond in de hoek van de zolderruimte. De lakens roken niet al te fris, zelfs dat vond ze echter geen bezwaar meer. Het enige wat nog telde was de opwinding die bezit van haar had genomen. Willoos en met slappe, knikkende knieën liet ze het onvermijdelijke gebeuren.

Daarna lag ze nog lang wakker, terwijl Jordy naast haar in diepe rust was. Het was gebeurd. Zomaar ineens, volkomen onvoorbereid, was ze van een meisje een jonge vrouw geworden. Vanmorgen was haar leven nog net zo troosteloos als altijd geweest, maar nu, luttele uren later, was ze voor het eerst van haar leven verliefd en was ze met een jongen naar bed geweest. Zij, stille saaie Nicole. Ze glimlachte in het donker.

Eerlijkheidshalve kon ze niet beweren dat het nou zo fantastisch was geweest, maar het was wel fijn. Jordy was heel erg lief voor haar en had voortdurend koosnaampjes in haar oren gefluisterd. Pijn had het niet gedaan, hoewel ze daar wel bang voor was geweest. Ook niet toen Jordy op een gegeven moment wat ruwer werd. Eigenlijk voelde ze zich geweldig, ontdekte Nicole. Het was een heerlijk gevoel dat iemand haar liefhad om wie ze was, zonder bedenkingen. Ze begon zelfs begrip te krijgen voor haar moeder en haar eeuwige jacht op mannen. Zij kon zich op dit moment ook niets ergers voorstellen dan dat deze relatie verbroken werd en ze alleen achter zou blijven en zij kende Jordy nog maar één dag. Onvoorstelbaar eigenlijk. Hij voelde al zo vertrouwd dat het leek alsof hij al jaren deel uitmaakte van haar leven. Ze kon zich niet voorstellen dat hier ooit een einde aan zou komen.

Zo dromend en toekomstplannen makend viel Nicole dan toch eindelijk in slaap. Ze hadden geen wekker gezet, toch werd ze de volgende ochtend, zoals altijd, om zeven uur wakker. Ze moest voortmaken om op tijd op school te komen, besefte ze. Ze zou toch eerst naar huis moeten om zich om te kleden en haar spullen voor die dag te halen. Met een licht schuldgevoel dacht ze aan haar niet gemaakte huiswerk. Maar ach, dat haalde ze wel weer in. Tenslotte was ze een plichtsgetrouwe leerling die steevast goede cijfers haalde, die ene keer geen huiswerk maken zou haar resultaten niet ineens doen kelderen.

Jordy werd niet wakker toen ze uit bed glipte en zich aan begon te kleden. Ze besloot hem te laten slapen, legde alleen een lief briefje voor hem neer met daarin ook haar telefoonnummer, zodat hij haar kon bellen. Zacht trok ze even later de deur van zijn zolderkamer achter zich in het slot. Paula had vandaag haar vrije dag, met een beetje mazzel zou die ook nog in bed liggen. De vriend waar ze gisteravond mee uit was geweest er naar alle waarschijnlijkheid naast.

Zo voorzichtig mogelijk sloop ze het huis binnen. Paula was echter al in de keuken aanwezig, ze keek verbaasd op bij Nicole's binnenkomst.

"Waar kom jij nou vandaan?" vroeg ze verwonderd.

"Ik dacht dat je nog zou slapen."

"Ik was toevallig vroeg wakker. Een tegenvaller voor jou dus, jongedame. Alsof ik het voelde."

"Dat lijkt me toch heel stug. Als je zo'n betrokken moeder was geweest had je gisteravond bij thuiskomst wel gemerkt dat ik er niet was," spotte Nicole.

"Heb je soms een vriend?" vroeg Paula, die sarcastische opmerking negerend.

Nicole knikte stug. Ontkennen had toch geen zin. Als haar moeder nu moralistische praatjes ging houden, zou ze haar eens wat vertellen, dacht ze strijdlustig bij zichzelf. Paula haalde echter slechts haar schouders op.

"Ik hoop dat je het wel veilig doet," zei ze alleen.

Perplex staarde Nicole haar aan. "Vind je het niet erg dan?" vroeg ze onzeker. Van alles had ze verwacht, maar niet deze laconieke reactie.

Weer trok Paula met haar schouders. "Je bent zestien, geen klein kind meer. Ik kan je niet meer tegenhouden."

Ze schonk koffie in twee bekers en schoof er een over de keukentafel naar Nicole toe.

"Voor mij?" vroeg die voor de zekerheid.

"Voor wie anders?"

"Nou, ik had die Vincent of Victor, hoe heet hij, hier wel verwacht." Nicole keek om zich heen alsof ze verwachtte dat hij uit de kast zou komen of onder de tafel vandaan zou kruipen.

"Victor. Ik eigenlijk ook," zei Paula. "Maar hij wilde niet. Hij wil onze relatie niet overhaasten, zei hij." Ze klonk alsof ze daar zelf verbaasd over was en waarschijnlijk was dat ook zo. De mannen die Paula met haar uitdagende houding gewoonlijk aantrok, waren over het algemeen heel anders. Die wilden altijd maar al te graag met haar mee naar huis om samen de nacht door te brengen.

"Dat meen je niet," zei Nicole dan ook, net zo verbaasd. "Ga me niet vertellen dat je eindelijk een normale vent aan de haak geslagen hebt."

Plotseling begon Paula te lachen. De harde trekken in haar gezicht verzachtten daarbij.

"Ik geloof het wel, ja. Vreemd hè? Maar eigenlijk bevalt het me best wel. Victor is een hele leuke man, ik zou er niets op tegen hebben als dit een echte relatie gaat worden. We zien elkaar over drie dagen weer. Dan heeft hij een feest van zijn werk en hij heeft gevraagd of ik met hem meega."

"Klinkt goed." Nicole dronk haar beker leeg en ging naar haar eigen kamer om haar tas in te pakken en iets anders aan te trekken.

Het zou weleens zo kunnen zijn dat haar moeder en zij allebei tegelijk de ware tegen waren gekomen gisteren. Een bizarre speling van het lot.

HOOFDSTUK 8

"Victor komt vanavond kennismaken," kondigde Paula op een dag aan. "Hij is heel erg benieuwd naar je."

"Niet wederzijds," bromde Nicole. Met nog dikke ogen van de slaap zat ze aan de ontbijttafel, lusteloos een broodje smerend. Ze had totaal geen zin om naar school te gaan en nu kreeg ze dit ook nog eens voor haar kiezen. Als er iets was waar ze geen behoefte aan had, was het wel aan de kennismaking met Victor. Vriend nummer zoveel, ze kon het niet eens meer bijhouden. Dit keer leek het serieus tussen haar moeder en hem, maar dat vond ze juist een extra reden om hem te ontlopen. Voor geen prijs wilde ze zich opnieuw hechten aan een man die ieder moment weer uit haar leven kon verdwijnen. Ze had genoeg vaders gehad voor de rest van haar leven.

"Doe niet zo vervelend," verzocht Paula haar vinnig. "Dit is heel erg belangrijk voor me, daar mag je best weleens rekening mee houden."

"Ik doe mijn hele leven al niets anders dan rekening met jou houden. Het zou leuk zijn als het ook eens andersom was," zei Nicole kortaf terwijl ze opstond. Haar bord schoof ze van zich af, al lag er nog ruim een halve boterham op. Ze rilde bij de aanblik. "Ik zit niet bepaald te wachten op weer een ander vaderfiguur hier in huis, daar heb ik mijn bekomst van."

"Het is niet mijn schuld dat je vader is overleden, evenmin kon ik er iets aan doen dat Thijs steeds vreemdging," verdedigde Paula zichzelf fel.

"Had hem er dan meteen de eerste keer uitgegooid, dan was het minder dramatisch geweest voor mij," beet Nicole haar moeder toe.

"Stel je niet zo aan," zei Paula koeltjes. "Jij doet af en toe of Thijs heilig was, maar ik kan je verzekeren dat hij absoluut veel mindere kanten had."

"Dat was dan niet te merken aan jouw gedrag jegens hem. Je adoreerde hem en vergaf hem alles wat hij flikte. Geen wonder dat hij steeds een stap verder ging, jij gaf hem daar alle reden toe. Als ik jouw partner was zou ik ook vreemdgaan, want je stond het oogluikend toe en daar maakte hij gebruik van. Toen je het eindelijk zat was heb je er geen moment aan gedacht wat het voor mij betekende," zei Nicole bitter.

Paula richtte zich hoog op. "Je durft heel wat te beweren. Houd je er even rekening mee dat ik je moeder ben en niet een of ander schoolvriendinnetje?" zei ze met flikkerende ogen.

Nicole lachte schel. "Moet ik daar rekening mee houden? Probeer er eerst zelf eens aan te denken dat je mijn moeder bent. Die rol schept namelijk verplichtingen waar jij je nog nooit aan gehouden hebt." Zonder op een weerwoord te wachten stampte ze de keuken uit, de deur hard achter zich dicht trekkend.

"Als je er maar aan denkt dat je vanavond op tijd thuis bent," riep Paula haar nog na.

Dat zullen we nog weleens zien, dacht Nicole grimmig bij zichzelf. Misschien bleef ze wel helemaal weg, zoveel lol was er thuis tenslotte niet aan. Ze was tegenwoordig dan ook steeds vaker bij Jordy te vinden. Zijn zolderkamer was echter te klein voor twee mensen, anders was ze allang bij hem ingetrokken. Het kon haar moeder toch niets schelen wat ze deed. Die had nog niet eens gevraagd hoe haar vriend heette en hoewel ze er dus op stond dat Nicole kennismaakte met Victor, had ze wat Jordy betrof nog geen enkele suggestie in die richting gedaan. Een beetje moeder wilde toch weten met wie haar kind omging en waar ze steeds uithing, Paula leek het juist wel lekker te vinden dat Nicole nog maar zo weinig thuis was. De band tussen moeder en dochter, toch al nooit hecht geweest, leek steeds meer te verdwijnen. Ze woonden toevallig in hetzelfde huis, maar daar was zo'n beetje alles mee gezegd.

Jordy had hetzelfde probleem, wist ze. Zijn biologische vader was er vlak na zijn geboorte vandoor gegaan en zijn moeder had in de loop der jaren ook al heel wat vrienden versleten. Sommige daarvan had hij graag gemogen, aan anderen had hij ronduit een hekel gehad. Een van die zogenaamde vaders had hem zelfs misbruikt, had hij Nicole bekend.

Dat was ook één van de redenen dat ze zo graag bij hem was. Hij begreep haar, wist precies hoe ze zich voelde. En hoewel hij er totaal anders mee omging en zich nergens druk om maakte, was het voor Nicole toch een prettig idee dat ze in hetzelfde schuitje zaten. Ze waren soulmates, dacht ze naïef. Jordy was waarschijnlijk de eerste om haar af te raden vanavond naar huis te gaan voor deze kennismaking. Jordy begreep dat. Ze verlangde ineens hevig naar hem.

Resoluut veranderde Nicole halverwege haar weg naar school ineens van koers. Ze konden allemaal barsten, ze ging gewoon niet naar school vandaag. Ze ging naar Jordy. Dat was de enige plek op de wereld waar ze zich thuis voelde en waar ze zichzelf kon zijn. Wat kon haar die school nog schelen? De laatste tijd had ze al zo met haar pet naar haar schoolwerk gegooid dat ze dit jaar waarschijnlijk toch niet zou halen.

Maar wat dan nog? Aan Jordy zag ze wel dat een goede baan helemaal geen must was. Met een uitkering viel ook prima te leven, dat bleek wel. Hij had alle vrijheid, leed niet onder het juk van vaste werktijden, overwerk, vakantieregelingen en files die het bijna onmogelijk maakten om überhaupt op zijn werk te kunnen komen en toch was hij tevreden met zijn bestaan. Waarschijnlijk meer tevreden dan al die mensen die dagelijks zuchtend naar hun baan vertrokken en die vijf dagen lang niets anders deden dan naar het weekend verlangen.

Met de sleutel die ze onlangs van Jordy had gekregen ging Nicole naar binnen. Het was pas tien over acht, hij zou waarschijnlijk nog slapen. Jordy had geen wekker nodig, hij stond op wanneer hij daar zin in had. Ze trof hem inderdaad nog in bed aan. Hij werd wakker bij haar binnenkomst, keek haar met lodderige ogen aan. "Sorry," verontschuldigde Nicole zich. "Ik wilde je niet wekken."

"Geeft niet. Heb je hier gisteren iets laten liggen of zo dat je zo vroeg al voor de deur staat?" vroeg hij geeuwend.

"Nee. Ik was op weg naar school toen ik besefte dat ik veel liever bij jou ben." Nicole ging op de rand van zijn bed zitten en streek door zijn haren. Haar hart vulde zich met alle liefde die een zestienjarige op kon brengen. Een liefde voor altijd, daar was ze vast van overtuigd.

"Goed plan van jou," grijnsde hij. "Wat heb je nou aan die stomme school? Driekwart van wat je daar leert breng je toch nooit in praktijk."

"Precies wat ik zelf ook al dacht," zei ze tevreden. Ze was toch even bang geweest dat Jordy boos zou zijn omdat ze onaangekondigd op dit vroege tijdstip bij hem binnenviel, maar ze had zich geen zorgen hoeven maken. Zoals altijd was ze simpelweg welkom bij hem. Hoe had ze daar aan kunnen twijfelen?

"In plaats van op school te zitten weet ik veel leukere dingen om te doen," zei hij wellustig. Voordat ze kon protesteren, wat ze overigens niet van plan was, trok hij haar naast zich op het bed. "Praktijklessen biologie, daar heb je veel meer aan dan aan die stomme theorie."

"Wil jij dan mijn leraar zijn?" giechelde Nicole terwijl hij haar blouse al begon los te knopen.

"Wat een heerlijke manier om wakker te worden," mompelde hij in haar oor. "Dat moet je vaker doen."

"Aan mij zal het niet liggen. O, wacht even." Nicole schoot overeind. "Ik moet eerst nog even iets doen."

Ze pakte haar mobiel en toetste het nummer van haar school in.

"Met mevrouw Scheepmaker, de moeder van Nicole Scheepmaker uit 4B," zei ze met een verdraaide stem zodra er aan de andere kant werd opgenomen. "Ik wil even doorgeven dat Nicole ziek is en niet op school komt vandaag. Een flinke griep, ja. Ze heeft het behoorlijk te pakken, ik denk dat ze wel een weekje uit de roulatie is. Dank u wel, ik zal het haar zeggen. Goedemorgen."

Ze verbrak de verbinding. "Beterschap aan mezelf," grijnsde ze. "Die lui slikken ook alles maar voor zoete koek."

"En die hebben jarenlang geleerd, kun je nagaan. Studeren verweekt je hersens, denk ik," lachte Jordy met haar mee. "Dan zijn wij een stuk slimmer, Nicole. Wij gebruiken tenminste onze lichamen, dat is veel beter voor een mens. Een gezonde geest in een gezond lichaam, zo luidt dat spreekwoord toch? Kom, dan gaan we aan dat gezonde lichaam werken." Weer trok hij haar naast zich en Nicole beantwoordde zijn hartstochtelijke kus vol overgave.

Het was al halverwege de ochtend voor ze het bed verlieten. Op de eerste etage van het huis bevond zich een douche waar alle bewoners gebruik van konden maken. Jordy verdween daarheen terwijl Nicole, gekleed in zijn badjas, in de geïmproviseerde keukenhoek koffie zette. Terwijl ze wachtte tot het oude apparaat zijn werk gedaan had haalde ze meteen een doekje door de keuken. Vorige week had ze dit gedeelte van zijn kamer grondig gesopt met schoonmaakspullen die ze zelf meegenomen had van huis. Nu was het nog slechts een kwestie van bijhouden. Vandaag kon ze wellicht de rest van zijn kamer schoonmaken, ze had nu toch ineens tijd in overvloed. De lakens van zijn bed konden ook wel weer een wasbeurt gebruiken, iets waar Jordy zelf nooit bij stilstond.

"Als jij dat wilt, vind ik het best," zei hij nadat ze hem even later haar plannen voor die dag ontvouwde. "Maar niet meteen. We gaan zo eerst naar de coffeeshop. Ik ben door mijn wiet heen. De eigenaar, Patrick, wil jou graag eens ontmoeten, heeft hij gezegd."

Nicole stemde toe, gevleid dat Jordy blijkbaar met zijn vrienden over haar praatte.

"Laten we dan onderweg terug naar huis wat boodschappen halen," stelde ze voor. "Dan kook ik wat lekkers vanavond."

"Zoveel valt er niet te bereiden op die twee kleine gaspitten," meende Jordy.

"O, maar ik ben een expert in maaltijden waarbij alles door elkaar wordt gemengd. Snel, makkelijk en nog lekker ook. Uitgebreid koken is niet iets wat ik van huis uit meegekregen heb."

"In dat geval wacht ik in spanning af. Weer eens iets anders dan patat bij Harry," zei Jordy tevreden.

Het was hem ook wel aan te zien dat hij onregelmatig en niet al te gezond at. Zijn knappe gezicht was bleek en zijn haren waren dof. Wat extra vitamines zouden die doen glanzen, hoopte Nicole. Ze vond het heerlijk om zo voor hem te zorgen. Schoonmaken, koken, zijn was op orde houden, dat waren allemaal leukere bezigheden dan naar school gaan en huiswerk maken. Het gaf haar het gevoel dat ze bij elkaar hoorden. Jordy was ook zo dankbaar voor alles wat ze deed. Na ieder karweitje dat ze voor hem opknapte was hij extra lief voor haar, wat Nicole stimuleerde om nog meer te doen. Ze stond er geen seconde bij stil dat ze eigenlijk precies hetzelfde reageerde als haar moeder wanneer die een vriend had.

"Ik begrijp dus dat je vanavond hier eet," haalde Jordy haar uit haar gedachten. "Blijf je dan ook of ga je wel naar huis?"

"Mijn moeder verwacht me wel thuis vanavond, maar ik ben er nog niet helemaal uit. Haar nieuwe vriend komt kennis met me maken," vertelde Nicole met een grimas.

Jordy trok zijn wenkbrauwen hoog op. "Dat is geen enkele reden om te doen wat zij wil," verklaarde hij kalm. "Waarom zou je die moeite trouwens nemen? Over een paar maanden is het waarschijnlijk weer uit."

"Dat dacht ik ook al, ja," beaamde Nicole, opgelucht dat hij het met haar eens was. Dat sterkte haar in haar mening dat ze gelijk had. Haar moeder kon hoog of laag springen, ze was niet langer van plan om voortdurend naar haar pijpen te dansen. Ze was zestien, oud genoeg om dergelijke beslissingen zelf te kunnen nemen. De situatie was niet meer hetzelfde als ruim vier jaar geleden, toen ze willoos moest accepteren dat Thijs bij hen kwam wonen zonder dat ze daar zelf iets in te zeggen had. Als haar moeder inderdaad met die Victor ging samenwonen, trok zij alsnog bij Jordy in, ondanks de beperkte ruimte, besloot ze ter plekke. Ze liet zich geen nieuwe vader meer opdringen.

Later liepen Nicole en Jordy hand in hand naar het centrum, naar Jordy's vaste coffeeshop. "Mijn stamkroeg," zoals hij het zelf noemde. Het was er niet druk. Slechts enkele mensen zaten aan een tafeltje druk te debatteren, de ruimte aan de bar was leeg, op de eigenaar na.

"Patrick, dit is nou Nicole," zei Jordy terwijl hij haar naar voren duwde. De trotse klank in zijn stem verwarmde Nicole's hart.

"Zo, die is niet mis," was Patricks reactie. Hij greep haar hand en hield die langer vast dan noodzakelijk was. Zijn handpalm zweette en Nicole moest zich bedwingen om haar hand niet onmiddellijk uit de zijne te rukken. Zijn aanraking voelde bepaald niet aangenaam. Met zijn kleine, waterig blauwe ogen nam hij haar van top tot teen op. "Je bent een bofkont, Jordy," zei hij met een klank in zijn stem die Nicole niet beviel. "Ga zitten, mensen. Iets drinken?"

"Cola," antwoordde Jordy terwijl hij plaats nam.

Nicole kon niets anders doen dan naast hem gaan zitten, hoewel ze het liefst meteen de coffeeshop weer had willen verlaten. De manier waarop Patrick naar haar keek vond ze niet prettig. Hij leek haar wel met zijn ogen uit te willen kleden. Terwijl hij met Jordy praatte dwaalde zijn blik steeds haar richting uit, waardoor ze zich onbehaaglijk voelde.

"Hoelang kennen jullie elkaar nou precies?" vroeg hij opeens.

"Een maand of drie," antwoordde Jordy vaag.

"Als je ooit genoeg van hem krijgt, kom je maar naar mij toe." Patrick lachte en knipoogde naar Nicole. Het moest klinken als een grapje, Nicole hoorde echter heel goed de ondertoon in zijn stem die haar vertelde dat hij er helemaal geen bezwaar tegen zou hebben om de lakens met haar te delen.

Ze rilde van afschuw. Patrick met zijn gluiperige ogen en bleke, bloedeloze lippen was het tegenovergestelde van de aantrekkelijke Jordy. Ze vroeg zich af hoe het mogelijk was dat deze twee mannen zo goed met elkaar overweg konden. Op haar maakte Patrick beslist een zeer onsympathieke indruk.

"Hij is eng," antwoordde ze later dan ook op de vraag van Jordy hoe ze Patrick vond.

Jordy begon luid te lachen. "Dat zal ik hem maar niet vertellen. Hij is nogal van zijn eigen charmes overtuigd." Zoals gewoonlijk ging hij er niet dieper op in.

Met een omweg via de supermarkt, waar ze de nodige boodschappen haalden die Nicole met haar pinpas betaalde, arriveerden ze weer bij Jordy's zolder. Het was inmiddels kwart over zes en Nicole begon honger te krijgen. Sinds haar karige ontbijt, waar ze de helft van had laten staan, had ze niets meer gegeten. Jordy had niets fatsoenlijks in huis op dat gebied en ook Patricks coffeeshop voorzag niet in die behoefte. Er waren meer dan genoeg soorten drugs op voorraad, aan de verkoop van eten deed hij echter niet.

Ze ging dan ook meteen aan de slag in de keukenhoek. Ze bakte wat gehakt rul, voegde er kleine aardappelblokjes aan toe en deed er uiteindelijk een zak roerbakgroente doorheen. Aan kruiden was er weinig in huis, zodat de maaltijd uiteindelijk nogal flauw uitviel. Jordy viel er echter op aan alsof dit het lekkerste was wat hij in jaren gegeten had. Voor hem was dat waarschijnlijk ook zo. Hij verdeed zijn tijd niet aan koken en at voornamelijk van de snackbar of de pizzeria. Als hij al at, het gebeurde ook vaak genoeg dat hij de avondmaaltijd oversloeg omdat zijn geld op was en het nog een paar dagen duurde voordat zijn uitkering werd gestort.

Nicole kreeg de kans niet om nogmaals op te scheppen, omdat hij de pan helemaal leeg schraapte. Ze had best nog wat gelust, ze vond het echter zo roerend dat hij zo van haar maaltijd genoot dat ze er niets van zei.

In haar eentje deed ze de afwas terwijl Jordy lui onderuitgezakt een joint rookte. Zoeken naar een theedoek was zinloos, want die bezat hij niet.

"Het droogt vanzelf wel, als het een paar uur staat," merkte hij loom op.

"Morgen ga ik een paar theedoeken voor je kopen en dan mag jij afdrogen, jongetje," dreigde Nicole hem lachend. "Ik ben je huishoudster tenslotte niet."

"Maar ik vind het heerlijk dat je zo goed voor me zorgt, dat is ongekend voor me," zei Jordy. "Ik hou van je, weet je dat?"

Die woorden stemden Nicole zo gelukkig dat haar lichte wrevel vanwege het feit dat hij haar alles alleen liet doen, als sneeuw voor de zon verdween. Hij was zo weinig gewend op dat gebied, nog minder dan zij.

Haar mobiel begon te rinkelen en zonder op het schermpje te hoeven kijken wist ze al dat dit haar moeder was die belde om te vragen waar ze bleef. Een blik op het display bevestigde die vermoedens. Ze liet het toestel rinkelen tot het vanzelf op de voice mail sloeg en zette hem toen uit.

"Ze neemt niet op," zei Paula. Ze legde haar telefoon terug op tafel en wendde zich tot Victor. "Ik denk dat we die maaltijd met zijn tweeën te lijf moeten gaan. Ik zet voor Nicole wel wat apart, al zit het er dik in dat ze helemaal niet thuis komt vannacht. Ze zal wel bij die vriend van haar zijn."

Victor trok zijn wenkbrauwen op. "Vind jij dat normaal? Ze is pas zestien, toch?"

"Te oud om haar te verbieden een vriendje te hebben."

"Te jong om simpelweg niet naar huis te komen zonder iets te laten weten," pareerde hij die opmerking. "Als moeder zijnde hoor je toch te weten waar ze zit. Als het mijn dochter was zou ik haar nu ophalen en haar desnoods aan haar haren naar huis sleuren."

"Dat wordt lastig, want ik weet niet waar die jongen woont. Ik ken hem niet," zei Paula zorgeloos.

"Dat meen je niet!" Victor was oprecht verbijsterd door de makkelijke manier waarop Paula met haar dochter omsprong. "Je kunt dus niet eens controleren of ze daar werkelijk is? Voor hetzelfde geld ligt ze ergens gewond in het park of zo."

"Ben je gek, Nicole is verstandig genoeg. Die loopt heus niet in zeven sloten tegelijk," wuifde Paula die opmerking weg. Ze liep naar de keuken en pakte de ovenschotel die ze die middag bij een traiteur had gehaald uit de oven. Hij rook heerlijk. Nadat ze hem op tafel had gezet sloeg ze haar armen om Victors nek. "Het heeft natuurlijk ook zijn voordelen als ze niet thuis komt, dan kunnen wij doen wat we willen." Haar stem klonk verleidelijk en haar hand streelde daarbij over zijn buik, zodat het niet moeilijk te raden was wat ze bedoelde.

"Het spijt me, daar ben ik niet voor in de stemming," zei Victor kortaf terwijl hij haar opzij schoof. "Laten we maar gaan eten en hopen dat je dochter straks ongedeerd thuis komt."

Hij begreep werkelijk niet dat Paula zo makkelijk met haar eigen kind omsprong. Hij, een wildvreemde, was nota bene ongeruster dan zij over het welzijn van Nicole! Hij vond Paula een leuke, aantrekkelijke vrouw en hun relatie bood wat hem betrof perspectief voor de toekomst, maar hier kon hij met zijn pet niet bij.

HOOFDSTUK 9

Nicole wachtte de volgende dag expres met naar huis gaan tot Paula weg zou zijn. Ze wist dat haar moeder die dag van 's middags twaalf tot 's avonds acht moest werken.

"Weet je zeker dat je weggaat?" vroeg Jordy. "Je weet dat je hier kunt blijven. Ik ga zo naar de coffeeshop en ik vind het gezellig als je meegaat."

Dat gaf voor Nicole juist de doorslag om terug naar huis te gaan. Het laatste waar ze zin in had, was een ontmoeting met die kwal van een Patrick.

"Waarschijnlijk kom ik vanavond terug," beloofde ze. "Deze week hoef ik lekker toch niet naar school, dat is al gedekt."

Terwijl ze naar huis fietste bedacht ze dat ze die avond wel wat extra kleding mee kon nemen naar Jordy, zodat ze een paar dagen bij hem kon blijven nu ze toch ziek gemeld was. De zolder was erg krap, maar voor een paar dagen moest het kunnen.

Thuis wachtte haar een onaangename verrassing. Zodra ze de buitendeur opende, dook Paula op in het halletje.

"En waar kom jij vandaan?" vroeg ze met schelle stem.

Nicole schrok. "Waarom zit jij niet op je werk?"

Paula stiet een onaangenaam lachje uit. "Aha, je dacht dat ik er niet zou zijn. Jammer genoeg voor jou heb ik een werkdag geruild met een collega. Nou, zeg op, waar was je gisteravond?"

Nicole trok met haar schouders. Uiterlijk bleef ze kalm, al stond ze te trillen op haar benen. Haar moeder was echt kwaad, merkte ze, iets wat niet vaak gebeurde. Meestal had ze te weinig aandacht voor haar om ergens kwaad om te worden.

"Bij Jordy. Ik had geen zin om die Victor te ontmoeten."

"Je hebt mijn avond goed verziekt," verklaarde Paula kort. "Victor houdt van me en hij wil een echte relatie opbouwen. Mijn dochter hoort daar ook bij, vindt hij, dus natuurlijk wil hij je graag ontmoeten."

"Dus daarom moest ik zo nodig thuis komen," begreep Nicole. Haar stem klonk bitter. "Het gaat je niet om mij, het gaat om wat hij vindt. Jou kan het niet schelen."

"Ik wil niet dat je dit voor me verpest."

"Ben jij eigenlijk ook maar één seconde ongerust geweest toen ik niet op kwam dagen en mijn telefoon niet opnam?" vroeg Nicole. Ze keek Paula onderzoekend aan.

"Ik dacht wel dat je bij die knul zat. Victor vond het raar."

"Victor, Victor, Victor, ik heb nu al een hekel aan die man," zei Nicole opstandig.

"Daar zul je dan aan moeten wennen," verklaarde Paula kort. "Nogmaals Nicole, ik geef je de kans niet hier tussen te komen. Ik wil een leven met Victor opbouwen. Ik eis dat je vanavond thuis bent als hij komt."

"Om het ideale gezinnetje te spelen?" smaalde Nicole. "Ik peins er niet over." Ze beende langs haar moeder heen de trap op, naar haar eigen kamer. Voor ze de deur daarvan achter zich kon sluiten, liep Paula echter al achter haar aan. "Je bent egoïstisch," verweet ze haar.

"Ik?" Nicole's stem sloeg over. "Tjonge, van wie zou ik dat dan geleerd hebben?" "Victor is belangrijk voor me. Sinds je vader dood is ben ik niet meer zo gelukkig geweest met een man. Je zou het me moeten gunnen."

"O, ik gun het je van harte, ik heb alleen geen zin om er getuige van te moeten zijn. Sterker nog, ik wil er niet opnieuw de dupe van worden. De mannen die hier in de loop der jaren over de vloer zijn gekomen passen niet eens meer in een voetbalstadion, zoveel zijn het er."

"Dit is anders."

"Natuurlijk," smaalde Nicole. Ze liep naar haar kast en begon er wat kleding uit te halen. "Weet je wat? Ga jij lekker met die Victor samenwonen, dan trek ik wel bij Jordy in. Ik heb schoon genoeg van die vriendjes van jou."

"Victor is niet zomaar een vriendje, Nicole," zei Paula nu iets rustiger. "Hij doet me aan je vader denken."

Nicole bleef even als verstard staan. "Des te meer reden voor mij om weg te gaan," zei ze toen kort.

"Ik denk dat jij hem ook graag zal mogen."

"Dat bedoel ik. Dan heb ik fijn weer een vader waar ik me aan hecht, tot jij de kolder weer in je kop krijgt en hem loost. En wie heeft daar de meeste last van? Ik! Terwijl jij vervolgens weer vrolijk op mannenjacht gaat, lig ik hier in mijn eentje te huilen, zonder dat iemand zich om mij bekommert. Jij al helemaal niet. Nee mam, deze keer gaat dat niet gebeuren. Word vooral heel gelukkig met je Victor, maar laat mij erbuiten."

"Ga dan maar!" riep Paula over haar toeren. Met een theatraal gebaar wees ze naar de deur. "Laat me maar alleen, kies maar voor jezelf."

"Stel je niet zo aan," zei Nicole spottend terwijl ze verder ging met het sorteren van haar spullen. Jordy had zo weinig ruimte dat ze echt selectief te werk moest gaan. "Volgens mij sta je inwendig te juichen. Nu heb je die lieve Victor tenminste helemaal voor jezelf alleen."

"Ik zal je in ieder geval niet tegen houden," zei Paula op hoge toon.

"Dat had ik ook geen seconde verwacht." Nicole trok haar bureaulade open voor de spullen die daarin lagen. De papieren beeltenis van Thijs grijnsde haar daarbij tegemoet. De tekening die ze van zijn foto had gemaakt was bijzonder goed gelukt. Zonder voorbereiding sprongen de tranen in haar ogen. Ze pakte de tekening op en staarde ernaar. Was hij maar nooit weggegaan. Of, beter gezegd, had haar moeder hem maar nooit de deur gewezen. Ze had hem nog één keer kort gesproken voor hij naar Frankrijk vertrokken was en dat was een heel ongemakkelijk gesprek geweest. Beiden hadden ze geweten dat dit de laatste keer was, toch was het afscheid kort en onpersoonlijk geweest.

"Ja, als het Thijs maar was geweest, hè?" zei Paula hatelijk. "Als ik hem terug had genomen, was je juichend thuisgekomen. Dan was het geen seconde in je hoofd opgekomen om me tegen te werken. Dat hij mij in het ongeluk stortte heeft je nooit geïnteresseerd."

"Daar was je anders zelf bij. Trouwens, had je werkelijk verwacht dat hij je trouw zou zijn? Hij was nota bene getrouwd toen je hem ontmoette en hij liet zich maar al te makkelijk verleiden door je. Je wist dus van tevoren dat hij niet echt standvastig was op het gebied van relaties. Nogal stom van je," zei Nicole geringschattend.

"Kreng!" In één snelle beweging griste Paula de tekening uit Nicole's handen en voor die haar tegen kon houden scheurde ze hem in vier stukken, die neer dwarrelden op de vloer.

Met een bleek gezicht staarde Nicole ernaar. "Thijs was als een tweede vader voor me," zei ze schor. "Was het niet genoeg dat je hem uit mijn leven hebt verbannen? Mag ik niet eens meer naar zijn afbeelding kijken?"

"Thijs is verleden tijd. Victor is veel aardiger."

"Barst maar met je lieve Victor!" schreeuwde Nicole nu door het dolle heen. Ze pakte de spullen die ze net had uitgezocht van het bed en propte alles in twee grote tassen. "Val mij niet meer lastig met al die zogenaamd goede relaties van je. Ga vooral je gang met alle mannen die je ooit nog tegenkomt, als je mij er maar buiten laat. Ik ben weg."

"Als je nu weggaat, kom je er ook nooit meer in," dreigde Paula.

"Is dat een belofte?" informeerde Nicole spottend.

"Ik meen het!" riep Paula haar achterna terwijl ze de trap afliep. "Het is hier geen hotel waar je binnen kunt stappen wanneer het je belieft. Eens eruit, altijd eruit."

"Mooi, dat is precies mijn bedoeling," gaf Nicole terug voordat ze de buitendeur achter zich sloot.

Op de stoep bleef ze verwezen staan, met allebei de zware tassen in haar handen. In een kwartier tijd was haar hele toekomstbeeld veranderd, besefte ze. Zomaar ineens stond ze op straat, zonder een ouderlijk huis waar ze op terug kon vallen. Hoewel, dat was niet helemaal waar, verbeterde ze zichzelf. Ze was niet dakloos. Jordy zou haar met open armen ontvangen, daar was ze van overtuigd. Hij zou niet klagen over het gebrek aan ruimte of over de privacy die hij in moest leveren. Hij zou alleen maar blij zijn dat ze er was. Jordy, de enige persoon ter wereld die wél van haar hield. Fietsen was onmogelijk met de twee grote tassen. Nicole hing aan iedere kant van haar stuur een tas en begon te lopen. Zonder om te kijken naar het huis waar ze ruim zestien jaar lang gewoond had, sloeg ze de hoek om. Haar hoofd hield ze fier omhoog geheven, al brandden de tranen achter haar ogen. Ze wist al heel lang dat ze niet de belangrijkste persoon in het leven van haar moeder was, maar nu ze die bevestiging zo duidelijk gekregen had, deed het toch pijn. Het werd tijd om naar de toekomst te kijken. Er was geen weg meer terug.

Paula maakte zich lang niet zoveel zorgen om haar dochter als je van een moeder zou verwachten. Nicole was dus het huis uit, ingetrokken bij haar vriendje. Ze constateerde het slechts als een vaststaand feit. Een zestienjarige kon je niet tegenhouden, ze hoefde alleen maar aan haar eigen jeugd terug te denken om dat te weten. Zelf was ze talloze keren weggelopen uit de pleeggezinnen waar ze door jeugdzorg ondergebracht was. Voordat ze Dick had leren kennen, had ze ook een paar keer samengewoond, voornamelijk bij gebrek aan andere woonruimte. Het was niet altijd even aangenaam geweest, moest ze toegeven, maar ze was uiteindelijk toch op haar pootjes terecht gekomen. Zo zou het Nicole ongetwijfeld ook vergaan.

Haar dochter was in ieder geval te verstandig en te zelfstandig om een puinhoop van haar leven te maken, daar had Paula wel vertrouwen in. Ze was volwassen genoeg om te weten wat ze deed. De kans was groot dat ze over een paar weken hier weer op de stoep stond omdat het samenwonen met die jongen haar toch niet beviel. Tot die tijd was ze dus vrij om te gaan en te staan waar ze wilde, drong het tot haar door. Eigenlijk wel zo prettig.

Ze verheugde zich op de komst van Victor die avond. Nu Nicole er niet was, kon die in ieder geval geen roet in het eten gooien, waar Paula wel voor gevreesd had. Het was dat Victor erop had gestaan om haar dochter te ontmoeten, anders had ze de kennismaking liever nog wat uitgesteld. Ze wist wel zeker dat Nicole niet de lieve, aanhankelijk dochter zou spelen, een rol die ze Victor wel voorgespiegeld had. Zelf kwam hij uit een hecht, warm gezin en ze wist dat hij het gezinsleven erg belangrijk vond. Als hij erachter kwam hoe Nicole en zij werkelijk tegenover elkaar stonden, kon het weleens gauw gedaan zijn met zijn affectie voor haar. Ze had toch al het gevoel dat ze moest vechten voor zijn aandacht, het ging zeker niet vanzelf tussen hen en lang niet zo vlot als ze gehoopt had.

Het liefst zou ze zien dat Victor bij haar introk, maar hoewel ze tegenover Nicole die middag door had laten schemeren dat dit al een vaststaand feit was, had Victor nog helemaal geen toespelingen in die richting gemaakt. Hij liep niet zo hard van stapel, wilde alles rustig opbouwen. Paula was dat niet gewend. Ze drong echter niet aan bij hem, omdat het waarschijnlijk averechts zou werken. Ze wist precies hoe ze mannen aan moest pakken om haar zin te krijgen.

Profiterend van haar onverwachte vrije dag trok ze die middag de stad in om een nieuwe outfit te scoren waar Victor haar onweerstaanbaar in zou vinden. Bij de traiteur haalde ze wat lekkere hapjes. Ook al zou hij komen voor een kennismaking die alweer niet doorging, hij zou vast niet meteen rechtsomkeer maken. Daar zou zij wel voor zorgen.

"Is ze er weer niet?" Victor was duidelijk verbaasd toen hij die avond alleen Paula aantrof. "Zeg eens eerlijk: wil ze me eigenlijk wel ontmoeten? Ik krijg langzamerhand het idee dat ze de boel aan het saboteren is."

"Nicole is er niet blij mee dat ik opnieuw een relatie heb," bekende Paula. "Het was natuurlijk een enorme klap voor haar dat haar vader overleed. Daarna heb ik maar één vriend gehad, Thijs, waar ik je over verteld heb. Nicole doet echter alsof ik de ene na de andere man verslijt en ze weigert je te ontmoeten. Ze is bang zich opnieuw aan iemand te hechten die plotseling weer uit haar leven kan verdwijnen." Ze verzweeg expres de lange rij mannen waar ze weliswaar niet mee had samengewoond, maar waar Nicole wel mee te maken had gehad. Je moest mannen nooit wijzer maken dan ze van nature al waren, was Paula's devies.

"Dat is natuurlijk ook wel moeilijk voor haar," moest Victor toegeven. "Wel jammer. Ik ben erg benieuwd naar haar. Als onze relatie verloopt zoals we ons nu voorstellen, speelt jouw dochter daar uiteraard ook een grote rol in. Het is wel zo prettig als we het allemaal goed met elkaar kunnen vinden."

"We kunnen haar voorlopig beter met rust laten," zei Paula schouderophalend terwijl ze een glas wijn voor hem inschonk.

Hij keek haar oplettend aan. "Ik vind dat je er wel erg laconiek over doet."

"Nicole is zestien, Victor. Ik kan haar niet meer aan het handje vasthouden en vertellen wat ze moet doen. Ze heeft een eigen mening en die respecteer ik. Als ze jou nog niet wilt ontmoeten, hebben we dat te accepteren. We moeten haar wat tijd gunnen."

Victor zweeg. Het klonk aannemelijk, toch had hij het gevoel dat er iets niet klopte. Paula leek stiekem wel blij te zijn dat zijn ontmoeting met Nicole wederom niet doorging. Hij kon er niet goed de vinger op leggen, maar hij voelde dat er meer aan de hand was. Later op de avond kon hij het niet nalaten er opnieuw over te beginnen.

"Ik mag toch hopen dat ze wel op een normaal tijdstip thuiskomt. Wellicht kunnen we dan alsnog kennismaken," zei hij met een blik op de klok, die kwart voor elf aanwees.

"Reken daar maar niet op. Ze is vanmiddag met een kwade kop bij haar vriendje ingetrokken," flapte Paula eruit, loslippig door de vele glazen wijn die ze inmiddels op had.

Victor schrok hier zichtbaar van. "Wat? En dat meld je even tussen neus en lippen door? Je dochter is zestien, Paula! Een kind nog bijna! Hoe kun je hier zo laconiek onder blijven? Je zit te kletsen, te lachen en te drinken alsof we op een feestje zitten terwijl je eigen kind wie weet waar is." Hij was werkelijk verbijsterd. Als zijn zus vroeger zoiets had gedaan, zouden zijn ouders iedere steen gekeerd hebben om haar terug te halen, goedschiks of kwaadschiks. Paula leek het echter niet echt te interesseren hoe het met haar dochter gesteld was. Het gaf zijn groeiende verliefdheid op deze aantrekkelijke vrouw een forse deuk.

"Waarom is haar welzijn zo belangrijk voor je?" wilde Paula weten.

"Waarom is het dat voor jou niet?" beantwoordde hij dat met een tegenvraag. Hij keek haar koel aan en Paula besefte dat ze het over een andere boeg moest gooien. Victor zou haar verklaring dat ze Nicole oud en wijs genoeg achtte om haar eigen leven te leiden, niet zomaar pikken. Hij stond hier duidelijk heel anders in dan zij, ook al betrof het zijn kind niet.

Als op commando begon ze te huilen. "We hebben vanmiddag ruzie gehad over jou en toen is ze weggelopen. Naar dat vriendje, dat weet ik wel zeker, maar ik heb geen idee waar die jongen woont. Natuurlijk kan dat me wel iets schelen. Ik maak me enorm ongerust."

"Dat zie ik, ja," spotte hij met een blik naar het glas in haar handen en de toastjes die op tafel stonden.

"Ik wilde jouw avond niet verpesten, daarom zei ik er niets over. Het is juist een prettige afleiding voor me dat jij er bent en ik over iets anders kon praten. Tenslotte is er helemaal niets wat ik eraan kan doen."

"Dat weet ik nog zo net niet," zei Victor. Hij bond wat in bij het zien van Paula's betraande ogen. Hij nam haar in zijn armen en kuste haar voorhoofd. "Ze is pas zestien, nog niet meerderjarig, dus natuurlijk kunnen we iets doen. Mijn broer Arend is rechercheur. Zal ik hem bellen?"

"Dat heeft geen nut. Ik heb de hele middag al op het politiebureau gezeten," loog Paula. "Een zestienjarige die van huis wegloopt is niets bijzonders, zeker niet omdat ze in dit geval naar haar vriendje is gegaan. Ze zwerft niet ergens rond en ze is officieel ook niet vermist. Het enige wat ik kan doen is hopen dat ze binnenkort contact opneemt. Haar telefoon neemt ze niet op als ze ziet dat ik bel."

"Bel haar met mijn telefoon, mijn nummer kent ze niet," stelde Victor voor. Hij haalde het toestel al uit zijn zak.

Paula kon niet anders doen dan hem aannemen en het nummer van Nicole intoetsen, al had ze geen flauw benul wat ze tegen haar dochter moest zeggen met Victor naast haar. Tot haar opluchting nam Nicole weer niet op, het toestel sloeg bijna onmiddellijk op de voice mail.

"Ze zal toch wel vermoeden dat ik het ben," zei ze gemaakt triest.

"Sorry dat ik zo uitviel daarnet." Victor streelde haar haren, medelijden welde in hem op bij het zien van haar betraande gezicht. Hij was veel te snel met zijn conclusies geweest, verweet hij zichzelf. Die arme schat had zich goed lopen houden voor hem en hij had haar alleen maar verwijten kunnen maken. Berouwvol sloeg hij een arm om haar heen en trok haar tegen zich aan. Puberdochters konden een crime zijn, wist hij. Zijn oudste zus had een tweeling van vijftien en hoewel hij dol was op zijn twee nichtjes, kon hij ze ook weleens met liefde door elkaar rammelen. Ze lieten zich weinig zeggen, trokken zoveel mogelijk hun eigen plan en konden een behoorlijk grote mond opzetten als iets hen niet beviel. Maar toch, als ze van huis weg zouden lopen zou hij gek worden van bezorgdheid. Net zoals Paula nu.

"Huil maar even lekker uit," zei hij zacht. "En maak je geen zorgen, ik laat je niet alleen vannacht. Ik blijf bij je."

Tevreden kroop Paula tegen hem aan. Dat was precies waar ze op gehoopt had.

HOOFDSTUK 10

Jordy was nog niet thuis, iets wat Nicole overigens ook niet had verwacht. Alles bij elkaar was ze nog geen uur weg geweest. Ze besteedde die middag aan het inruimen van zijn kast, waar ze zoveel mogelijk van haar spullen in stopte. Wat er niet in paste deed ze in een doos die ze onder het bed schoof. Het moest maar even zo, meer ruimte was er nu eenmaal niet. Nadat ze ook nog wat had schoongemaakt, hing ze doelloos rond. Er was hier simpelweg niets te doen voor haar.

De zolder was schoon en opgeruimd en ze had weliswaar kleding en toiletartikelen meegenomen van huis, maar niet haar tekenspullen, boeken of schoolbenodigdheden. Die laatste ontdekking deed ze met een onverschillig schouderophalen af. Dan ging ze maar niet meer naar school. De lust om te leren was de laatste tijd toch al niet meer aanwezig, bovendien zag ze aan Jordy dat een diploma ook niet alles was. Zonder dat papiertje kon je ook een prima leven leiden, al was het dan zonder luxe. Maar Nicole betwijfelde of een normale baan iemand wel luxe kon verschaffen. Wat ze wel bij zich had was haar geliefde fototoestel, alleen kon ze daar weinig mee beginnen hier. Jordy had geen computer, dus er viel niets uit te printen. Enfin, zonder haar tekenspullen had ze ook niets aan uitgeprinte foto's. Dat soort dingen kwam allemaal wel weer, ooit.

Aan het eind van de middag viel ze van pure verveling in slaap, bij het ontwaken daarvan was Jordy er nog steeds niet. Die zat hoogstwaarschijnlijk nog steeds in de coffeeshop, buiten de snackbar van Harry zo ongeveer de enige plek waar hij regelmatig heenging. Ze overwoog er ook naar toe te gaan om hem op de hoogte te stellen van de laatste ontwikkelingen, maar bij de gedachte aan die enge Patrick verwierp ze dat plan weer. Hoewel ze hem pas één keer had ontmoet, voelde ze een enorme antipathie tegen die man. Wel besloot ze een voorraad boodschappen in huis te halen en een maaltijd klaar te maken. Ze kon iets maken wat de dag erna eventueel makkelijk opgewarmd kon worden, voor het geval Jordy al gegeten had als hij thuis kwam. Tenslotte kon hij niet weten dat ze hier op hem zat te wachten. Zijn mobiel lag op het aanrecht op te laden, dus bellen had geen nut. Behalve de benodigdheden voor een macaronischotel, waar ze met gemak twee dagen van konden eten, sloeg Nicole ook melk, fruit, brood en beleg in, basisartikelen die Jordy nooit in huis had. Ze wist niet zeker hoeveel geld er nog op haar rekening stond, maar met een opgeluchte zucht constateerde ze dat ze zonder problemen het verschuldigde bedrag kon pinnen.

Nadat ze de macaronischotel had gemaakt ging ze opnieuw, bij gebrek aan bezigheden, op het smalle bed liggen. Jordy bezat wel een kleine tv, maar die scheen het niet te doen. De tijd kroop tergend langzaam voorbij. Op het moment dat Jordy de zolderkamer binnenkwam, om tien uur die avond, had ze het gevoel of ze hier al weken lag te vegeteren. Blij sprong ze dan ook overeind. "Eindelijk, je bent er!" zei ze terwijl ze hem een zoen gaf. "Ben je de hele dag bij Patrick in die coffeeshop geweest?"

"Ja," antwoordde hij alsof dat volkomen normaal was. "Daar is het gezelliger dan hier in mijn eentje. Als ik had geweten dat jij er was, was ik wel eerder teruggekomen. Waarom ben je er ook niet naar toe gekomen?" Zijn stem klonk lijzig en Nicole begreep dat hij aardig wat joints gerookt had die dag, iets waar zij van griezelde.

Omdat ik niet in aanraking wil komen met drugs en omdat ik Patrick een engerd vind die me met zijn ogen uitkleedt, lag het op het puntje van Nicole's tong. Ze wilde Jordy echter niet kwaad maken door zijn vriend te beledigen of zijn manier van leven af te kraken, dus slikte ze die woorden haastig in.

"Ik wil niet zo'n vriendin zijn die haar vriend voortdurend controleert of hem achterna loopt. Dat wij een relatie hebben wil niet zeggen dat jij je eigen ding niet meer kan doen," antwoordde ze in plaats daarvan. "Ik heb eten gemaakt. Heb je honger?"

"Ik heb al een patatje gehaald bij Harry. Wat heb je?" Hij keek nieuwsgierig in de schaal op het aanrecht en zijn ogen lichtten op bij wat hij zag. Ondanks de patat die hij dus al op had verorberde hij meer dan de helft van de inhoud van de schaal. Als ze daar nog een dag van wilden eten zou ze er toch minstens iets van een salade bij moeten maken, constateerde Nicole. Zijn enorme eetlust verbaasde haar. Normaal gesproken at hij haast niets, behalve als zij gekookt had. Het vleide haar wel.

"Blijf je slapen?" informeerde Jordy na het eten.

"Eh…" Nicole beet op haar lip. "Ik eh… Ik heb ruzie met mijn moeder gehad. Ze heeft me min of meer te kennen gegeven dat ik niet meer bij haar aan hoef te kloppen."

"Dan blijf je toch hier?" zei Jordy als vanzelfsprekend.

"Ik hoopte al dat je dat zou zeggen. Eerlijk gezegd heb ik mijn spullen al zoveel mogelijk in jouw kast geruimd," zei Nicole met een nerveus lachje.

"Prima. Wat van mij is, is van jou, dat weet je." Zoals gewoonlijk maakte hij er geen extra woorden aan vuil. Jordy was zo relaxed, Nicole kon zich niet voorstellen dat ze ooit ergens ruzie om zouden krijgen.

Tevreden kroop ze een uur later naast hem in bed. Het was een vreemd idee dat dit haar nieuwe huis was, maar niet onprettig. In ieder geval waren ze nu voor altijd samen.

De eerste weken beviel het haar ook wonderwel. Jordy bleef veel thuis en ze vermaakten zich prima samen. Iedere ochtend sliepen ze lang uit, een ongekende luxe voor Nicole. Naar school ging ze niet meer. Ongetwijfeld had de school al contact opgenomen met haar moeder en aangezien ze nog leerplichtig was zou ook de leerplichtambtenaar wel ingeschakeld worden, maar ze wisten toch niet waar ze was.

De verveling begon echter al snel toe te slaan. Op een dag, toen ze heel zeker wist dat haar moeder niet thuis was, sloop Nicole haar ouderlijk huis binnen om haar tekenspullen en wat boeken te halen, zodat ze iets te doen had tijdens de uren die Jordy niet bij haar was. Ze ging maar zelden met hem mee naar de coffeeshop, want ze hield niet van de sfeer die daar hing. Bovendien had ze een afkeer van de drugs die daar verhandeld werden. In de snackbar vond ze het wel gezellig. Harry gedroeg zich altijd gemoedelijk en hij maakte grapjes zonder dubbele ondertoon, in tegenstelling tot Patrick. Het kwam nogal eens voor dat Nicole bij Harry in de snackbar zat als Jordy naar zijn geliefde coffeeshop was.

"Wat zie je toch in die jongen?" vroeg Harry haar op een dag rechtstreeks.

Hij zette een groot bord patat voor haar neer, zoals altijd met een royale schep extra. "Je bent te goed voor hem, Nicole."

"Jordy is hartstikke lief voor me," verdedigde ze hem meteen vol vuur.

"Dat zal best, maar daar blijft het dan ook bij. Er zit verder niks bij. Hij lanterfant de dagen door, doet niets en leeft op kosten van de maatschappij."

"Jij verdient anders ook aan zijn uitkering, want je neemt zijn geld wel aan," zei ze gevat.

Hij trok met zijn schouders. "Ik moet ook de kost verdienen, meissie. Maar ik werk voor mijn poen. Wat doe jij eigenlijk de hele dag?"

"Weinig," moest ze bekennen. "Ik houd onze kamer schoon."

"Die schoenendoos?" zei hij spottend. Hij sloeg zijn dikke armen over elkaar heen en keek haar peilend aan. "Hoe oud ben je? Zestien, zeventien? Wil je werkelijk de rest van je leven zo doorbrengen?"

Nicole stak een patatje in haar mond en gaf hier geen antwoord op. Een nieuwe klant die binnenkwam redde haar van een verder gesprek. Zo snel mogelijk at ze het bord leeg voordat Harry opnieuw dit soort gewetensvragen aan haar zou stellen. Zijn woorden hadden haar echter wel aan het denken gezet. Haar leven was inderdaad leeg. Leeg en nutteloos. Nee, niet nutteloos, verbeterde ze zichzelf toen. Ze maakte Jordy gelukkig en dat was ook heel veel waard. Jordy, de enige persoon op deze wereld die om haar gaf. De enige die haar opgevangen had op het moment dat ze nergens meer terecht kon. Zonder hem was ze er slechter aan toe geweest.

Dat nam overigens niet weg dat dit leven haar niet echt bevredigde. Ze had te weinig om handen, daar had Harry zeker gelijk in. Vreemd genoeg miste Nicole zelfs de school. Hoewel ze daar nooit echt met plezier naar toe was gegaan, hadden haar dagen wel een doel gehad en dat was ze nu kwijt. Het schoonhouden van de zolder en het koken van de maaltijden vulden haar dagen niet. De gedachte aan de toekomst benauwde haar, omdat ze geen enkel perspectief had. Een alternatief was er echter ook niet. De weg terug naar haar moeder was afgesneden. Ze had er overigens geen enkele behoefte aan om naar haar terug te gaan. Hoe haar leven er verder ook uit zou zien, het stond voor haar vast dat ze het wel met Jordy zou delen. Hoe dan ook. De gedachten om hem kwijt te raken was onverdraaglijk.

Zo piekerend slenterde Nicole doelloos door het centrum heen. Jordy was er niet, hij had een gesprek bij de uitkeringsinstantie. Een maandelijks terugkerend ritueel dat weinig om het lijf had, volgens hem. Bij zo'n gesprek werd hem gevraagd of hij al werk had gevonden en vervolgens werd hij met een nieuwe afspraak voor een maand later weer naar huis gestuurd. Hij moest er altijd wat spottend om lachen.

Hoewel Nicole net een fors bord patat had gegeten, liet de geur van vers gebakken broodjes het water in haar mond lopen bij het passeren van een bakkerij. Dat was iets waar ze nooit weerstand aan kon bieden. Toch stapte ze niet naar binnen, wetend dat er nog slechts vijfendertig eurocent in haar portemonnee zat. Ze had een uur eerder nog maar net genoeg geld gehad om Harry te betalen, dus ze zou eerst langs een pinautomaat moeten. Twee straten verderop was er eentje, wist ze.

Doelbewust liep ze nu die kant op. Er stond niemand bij de automaat, dus stak ze meteen haar pas in de daarvoor bestemde gleuf en toetste ze haar pincode in. Veel contant geld had ze niet nodig, want de boodschappen pinde ze toch altijd bij de supermarkt, dus drukte ze op de toets voor tien euro. Er gebeurde echter niets. 'Saldo ontoereikend' gaf het scherm te kennen. Het zweet brak Nicole uit. Saldo ontoereikend? Had ze niet eens meer tien euro op haar rekening staan? Ze had nooit precies bijgehouden hoeveel er op stond en de laatste tijd had ze daar helemaal geen zicht meer op omdat haar afschriften uiteraard naar haar ouderlijk huis werden gestuurd, maar dit was wel heel erg snel gegaan. Eigenlijk tegen beter weten in probeerde ze het nog een keer. Zo'n automaat kon zich tenslotte ook weleens vergissen, hield ze zichzelf voor. Haar pasje werd echter onverrichterzake teruggespuugd door het apparaat.

"Zeg zus, komt er nog wat van?" klonk een ruwe stem achter haar. "Sta je dat apparaat te hypnotiseren of zo? Schiet eens op, ik heb meer te doen vandaag."

"Sorry," mompelde Nicole. Automatisch deed ze een stap opzij, zodat de man achter haar in de rij erbij kon. Met trillende vingers stopte ze haar pasje terug in haar portemonnee. Ze was dus door haar geld heen. Eigenlijk had ze dat wel kunnen verwachten. Het geld op haar rekening had ze gespaard van haar zakgeld en van geld wat ze voor verjaardagen had gekregen. Soms had ze er iets afgehaald om wat te kopen, maar ze had nooit zo goed bijgehouden wat er nu precies op stond. Zo hoog was dat bedrag nooit geweest, dat wist ze wel. Van tien euro zakgeld per week kon je nu eenmaal geen kapitaal sparen.

Sinds ze bij Jordy woonde, nu een maand of twee, had zij steeds al hun boodschappen betaald van die rekening. Er was geen ingewikkelde rekensom voor nodig om te begrijpen dat geld opraakte als er steeds iets afkwam en nooit iets bijgestort werd. In het vervolg zou Jordy de boodschappen dus moeten betalen, iets waar Nicole zich bezwaard over voelde. Zijn uitkering was nu eenmaal niet zo hoog dat hij er met gemak nog iemand van kon onderhouden. Hij kwam zelf maandelijks maar net, of net niet, uit met zijn geld. Om te kunnen blijven eten zou ze dus toch een baantje moeten zoeken. Desnoods een krantenwijk, als het maar iets opleverde.

Tegelijk met Jordy kwam ze thuis aan. Zijn gezicht stond op onweer, zag ze meteen. Niet het juiste moment om hem te vertellen wat ze net ontdekt had.

Hij stampte vloekend naar binnen, gooide de deur achter hen dicht en plofte daarna op de oude bank, die krakend protesteerde onder deze behandeling. Nicole bleef kleintjes in de keukenhoek staan. Zo had ze de altijd kalme en zich nergens druk om makende Jordy nog nooit gezien en het stemde haar angstig. Met een woest gebaar gooide hij wat papieren op de tafel.

"Wat denken ze wel! Mij een beetje de wet voorschrijven terwijl ze zelf de hele dag zitten te luieren op dat kantoor. Ik heb nog nooit gemerkt dat ze iets voor me deden, maar nu wel commentaar leveren op mij! Alsof ze zelf zo hard werken daar. Ze zijn alleen maar aanwezig, dat is het hele verschil." Zo raasde hij nog een tijdje door, tot hij uiteindelijk stilviel en somber voor zich uit staarde.

"Wat is er nou precies aan de hand?" wilde Nicole weten.

"Ik moet gaan werken van ze," sneerde Jordy. Hij spuugde het woord uit alsof hij iets smerigs proefde. "Volgens hen solliciteer ik te weinig en nu gaan ze me korten op mijn uitkering. Van dat kleine beetje rotgeld dat ik van ze krijg, trekken ze nu ook nog een gedeelte af. Het interesseert ze geen moer of ik wel of niet te eten heb. Mijn huur moet ook betaald worden, hoor! Dat heb ik ze ook gezegd, maar die vent beweerde dat dat des te meer reden was om een baan te zoeken. Met die arrogante rotkop van hem! Je had hem moeten zien, Nicole. Volgens mij had hij er nog lol in ook."

"Kunnen ze dat zomaar doen?" vroeg Nicole zich geschrokken af. "Zo plotseling, van het ene op het andere moment?"

"Nou ja, ze hebben wel vaker gezegd dat ik meer moet solliciteren. Er is een sollicitatieplicht, je moet minimaal op één vacature per week reageren. Dat vergeet ik nog weleens," zei Jordy. "Maar dan nog. Ze vergeten daarbij dat er niet iedere week vacatures zijn die geschikt zijn voor mij. Ik kan toch moeilijk op een baan als financieel directeur reageren, lijkt me. Het is tenslotte hun werk om een baan voor me te zoeken. Al die tijd hebben ze geen moer gedaan en nu word ik gekort. De schoften!"

"Gaat er veel vanaf?" Nicole pakte de papieren die hij achteloos op tafel had gegooid en bladerde ze door. Ze schrok toen ze het bedrag zag staan wat Jordy vanaf nu maandelijks gestort zou krijgen. Daar kon amper de huur, de elektriciteitsrekening en zijn ziektekostenverzekering van betaald worden. Voor eten zou nog maar heel weinig overblijven, vreesde ze. Ze voelde zich op slag schuldig omdat ze bij hem ingetrokken was, wat zijn probleem op dit moment alleen nog maar verergerde.

"Het wordt penibel, maar gelukkig betaal jij de boodschappen, dus zullen we tenminste niet verhongeren," merkte hij op.

Ze beet op haar lip. De verleiding was groot om op dit moment nog niets te zeggen, maar langer dan een paar dagen kon ze het toch niet verborgen houden voor hem. Waarschijnlijk was het beter om alles maar meteen op tafel te gooien nu, zodat ze een plan de campagne op konden stellen. In ieder geval moest er iets gaan veranderen.

"Ik eh… ik wilde net wat geld pinnen," begon ze hakkelend. Ze trommelde met haar vingers op het aanrechtblad, durfde hem niet aan te kijken. "Maar dat ging niet. Het is op."

Jordy sperde zijn ogen wijd open. "Hoe bedoel je, op?" vroeg hij met een paniekerige klank in zijn stem.

"Nou, gewoon, op. Saldo niet toereikend," zei Nicole somber. "Mijn rekening is leeg, Jordy. Ik heb zoveel boodschappen gedaan de laatste tijd."

Weer vloekte hij, nu nog harder dan daarnet. "Dat beetje eten wat jij betaald hebt, staat niet eens in verhouding tot de huur," zei hij daarna schamper. "Alle vaste lasten komen voor mijn rekening, ga jij je nu werkelijk zitten beklagen over die hap eten die het je gekost heeft sinds je hier ingetrokken bent?"

"Zo bedoel ik het niet," zei ze haastig. De woede die uit zijn ogen straalde maakte haar bang. Ze kende ze Jordy helemaal niet. "Het was geen verwijt naar jou toe."

"Nee, dat zal er ook nog eens bij moeten komen!" Hij stond op en gaf een trap tegen de tafel aan.

"Ik ga een baantje zoeken," beloofde Nicole met de moed der wanhoop. "Alles, het maakt niet uit wat. Een krantenwijk, oppassen, als het maar geld oplevert. Ik wil niet op jouw kosten leven, Jordy. In winkels zoeken ze ook vaak personeel, ik zie vaak genoeg van die briefjes op de ramen hangen."

"De hele dag zwoegen voor een hongerloontje," zei hij schamper.

"Wel een hongerloontje wat het eten betaalt. Alles is beter dan verhongeren," merkte Nicole op.

"Insinueer jij daarmee dat ik verhonger als ik niet ook ga werken?" vroeg hij met half dichtgeknepen ogen. Hij ging vlak voor haar staan en Nicole kon niet voorkomen dat ze angstig een stap achteruit deed. Ze voelde de rand van het aanrecht in haar rug drukken.

"Natuurlijk niet. Van wat ik ga verdienen kunnen we beiden eten," zei ze snel. "Doe niet zo, Jordy. Je maakt me bang."

"Sorry." Hij schudde zijn hoofd en deed een stap naar achteren. "Dat was niet mijn bedoeling, maar ik ben zo link. Die lui doen maar wat ze willen, zonder zich af te vragen wat de gevolgen voor anderen zijn. Het is erg makkelijk om vanachter je bureau te roepen dat iemand moet gaan werken terwijl er geen normale vacature te vinden is. Ze denken daar echt dat ze de macht in handen hebben. Bah!" Dat laatste woord spuwde hij uit. "Ik ben nog nooit zo opgefokt geweest als nu. Ik ga even naar Patrick, wat spul halen om rustig te worden."

Nicole waagde het niet om te zeggen dat hij dat nu beter niet kon doen, al dacht ze het wel. Als hij zou stoppen met roken en blowen, zouden ze maandelijks heel wat geld besparen, dat wist ze wel. Het leek haar echter niet verstandig om daar op dit moment een opmerking over te maken. Met lede ogen zag ze hem vertrekken, hij stampte net zo hard de trap af als hij hem even daarvoor opgeklommen was.

Met een zucht liet Nicole zich in een stoel zakken. Ze zou echt zo snel mogelijk op zoek gaan naar werk, al was het maar om Jordy weer wat gunstiger te stemmen. Een krant hadden ze echter niet, evenmin als een computer met internet. Morgen zou ze naar de bibliotheek gaan om daar de kranten door te spitten, nam ze zich voor. Er moest toch iets te vinden zijn voor haar wat brood op de plank bracht. Ze wist dat ze op dat gebied niet op Jordy hoefde te rekenen.

HOOFDSTUK 11

Diep in de nacht werd Nicole wakker doordat Jordy luidruchtig binnen kwam stommelen.

"Goed nieuws!" riep hij. "Ik heb de oplossing. In ieder geval voorlopig."

Nicole wreef over haar ogen. Drie uur, zag ze op het wekkertje naast het bed.

"Waar kom jij in vredesnaam vandaan?"

"Ik ben met Patrick naar de kroeg geweest." Jordy grijnsde breed. Behalve stoned was hij ook dronken, vermoedde Nicole. Er kwam een walm van verschraald bier van hem af. Ze wendde haar gezicht dan ook af toen hij plaatsnam op de rand van het bed. Hij boog zich voorover om zijn schoenen uit te doen en kon nog maar net voorkomen dat hij viel. Weer verscheen die brede grijns op zijn gezicht.

"Iets te veel gedronken," grinnikte hij. "Maar het geeft niet, ik heb goed nieuws."

"Dat zei je al, ja." Nicole geeuwde hartgrondig. "Heb je de lotto gewonnen of zo?"

"Dat niet, ik heb wel een fantastisch aanbod gekregen. Een aanbod dat ons in ieder geval door de komende weken heen kan helpen, totdat jij een baantje hebt gevonden." Triomfantelijk keek hij haar aan.

"Mag ik ook weten wat dat fantastische aanbod is?" informeerde Nicole. Ze was niet direct enthousiast. In de staat waarin Jordy momenteel verkeerde was hij niet helemaal toerekeningsvatbaar, vermoedde ze. Ze moest eerst maar zien wat het was voordat ze mee ging juichen.

"Patrick heeft me vijfhonderd euro geboden voor één nacht met jou," zei Jordy trots. "Vijfhonderd euro, Nicole! Dat zou me een hoop kopzorgen schelen."

"Wat?" Haar mond zakte open van verbazing. "Die kwal heeft...? Hoe haalt hij het in zijn stomme hersens! Ik mag toch hopen dat je hem een knal voor zijn kop hebt verkocht."

"Vijfhonderd euro," herhaalde Jordy. "Kom op, Nicole, dat is toch een aanbod dat je niet kunt weigeren?"

Met een veelbetekenend gebaar tikte ze tegen haar voorhoofd. "Jij bent al net zo gestoord als hij. Je denkt toch niet werkelijk dat ik daarin mee ga, hè? Ik eet nog liever het gras tussen de stenen vandaan dan dat ik op die manier geld wil verdienen."

"Het is anders wel een lekker bedrag," mompelde Jordy. Met zijn kleren nog aan rolde hij het bed in. Hij sliep al voordat zijn hoofd goed en wel het kussen raakte.

"En jullie zijn een lekker stelletje," snoof Nicole. Hoofdschuddend keek ze naar de bijna bewusteloze Jordy. Bier en wiet, niet echt een goede combinatie. Jordy ging er in ieder geval wartaal van uitslaan, dacht ze.

Met een ruk draaide ze zich om en met haar rug naar hem toe viel ze opnieuw in slaap. Ze ging ervan uit dat het slechts dronkemansgepraat was geweest, maar de volgende ochtend begon Jordy er meteen weer over. Hij was eerder wakker dan Nicole, wat al vrij uitzonderlijk was, en hij had koffie gezet, wat gerust een wonder genoemd kon worden. Ze keek hem dan ook wantrouwend aan.

"Wat heb jij op je geweten?" informeerde ze. Ze nam een slok van de haar aangeboden koffie, die veel te sterk was en walgelijk smaakte. Met een vies gezicht schoof ze de beker opzij.

"Ik wil iets met je bespreken," zei Jordy.

"Als het maar niet over dat achterlijke onderwerp van vannacht is," reageerde Nicole scherp. "Geen haar op mijn hoofd die eraan denkt om daarin mee te gaan."

"We hebben het er dus inderdaad over gehad," knikte Jordy. "Ik was er niet meer zeker van."

"Dan moet je niet zoveel zuipen," zei ze nijdig. Ze wilde opstaan, maar Jordy hield haar tegen.

"Niet zo snel, Nicole. Laten we erover praten."

"Waarom in vredesnaam? Dit is te belachelijk voor woorden. Ik kan Patrick niet eens uitstaan. Sterker nog, ik heb een vreselijke hekel aan die man."

"Het zou wel veel problemen oplossen."

Nicole staarde hem aan alsof ze haar oren niet kon geloven.

"Wil jij werkelijk beweren dat je er serieus over denkt?" vroeg ze verbijsterd. "Dat kun je niet menen!"

"Het gaat om vijfhonderd euro," hielp hij haar herinneren.

"Al waren het er vijfduizend," zei ze scherp. "Nee, Jordy. Nee, nee en nog eens nee! Ik vind heus wel ergens een baantje en dan zijn we ook uit de ergste zorgen."

"Waarom zou je hele dagen sloven als je in één nacht hetzelfde kunt verdienen?"

"Ik werk liever gewoon voor mijn geld. Patrick is een engerd, voor een miljoen ga ik nog niet met hem naar bed. Ik begrijp niet dat je dit niet onmiddellijk afgewezen hebt. Ik ben verdorie je vriendin!"

"Juist omdat je mijn vriendin bent, verwachtte ik dat je me wel zou willen helpen. Het is veel geld, Nicole, en ik heb het nodig."

"Dan zoek je ook maar een baan," zei ze kortaf.

"Doe nou maar niet zo preuts," verweet hij haar ineens hard. "Bij mij had je ook niet zoveel scrupules. We kenden elkaar pas een paar uur, maar toen had je er ook geen moeite mee om de nacht met me door te brengen. En ik betaalde je er niet eens voor."

"Ik dacht dat je van me hield." Hoewel ze zichzelf erom haatte klonken deze woorden als een gefluisterde smeekbede.

"Ik dacht dat jij van mij hield. Genoeg om me te helpen," zei hij zonder haar aan te kijken. "Daar heb ik me dan blijkbaar in vergist. De liefde komt dus maar van een kant."

"Hoe kun je dat nu zeggen?" verweet Nicole hem. "Je weet hoe-veel ik om je geef."

"Waar moet ik dat uit afleiden dan?" Nu zochten zijn ogen wel de hare. Onverbiddelijk keken ze haar aan. "Ik heb je zonder bedenkingen in huis genomen op het moment dat je eigen moe-der je liet barsten. We kunnen hier onze kont niet keren met zijn tweeën, maar daar klaag ik nooit over, omdat ik niet wil dat je op straat komt te staan. Ondertussen betaal je geen cent mee aan de huur of het gas en licht. Wellicht wordt het tijd om eens iets terug te doen, Nicole."

"Ik wil alles voor je doen, maar niet dit," antwoordde ze. "Echt niet. Patrick is…" Ze huiverde. "Ik kan er niet eens de goede woorden voor vinden."

"Patrick is een vriend die me uit de brand wil helpen. Dat kan ik van jou niet zeggen."

"Als hij een echte vriend was geweest, had hij je dat geld wel gewoon gegeven," zei Nicole fel.

"Ik hou niet van liefdadigheid. Op deze manier doen we er iets voor."

"We?" Ze lachte honend. "Ik, bedoel je."

"Voor mij valt het ook niet mee om te weten dat jij… met hem…" Jordy schudde zijn hoofd. "Het aanbod is echter te mooi om zomaar te laten lopen. Het gaat om veel geld. Met een parttime baantje in een winkel heb je dit nog niet in een maand."

"Dat kan me niet schelen, ik doe het niet," zei Nicole hoog. Ze stond op en keek hem onverzettelijk aan.

"O jawel." In een fractie van een seconde stond hij naast haar. Zijn handen grepen als bankschroeven om haar bovenarmen en hij schudde haar hardhandig heen en weer. De blik in zijn ogen boezemde Nicole angst in. Het was een mengeling van paniek en razernij. Ze wist niet voor welke van deze twee emoties ze banger was. "Je hebt niets te willen. Het is dit of je kunt oprotten. Je moet het gewoon doen, Nicole. Je moet!"

"Laat me los!" Met alle kracht die ze had wist Nicole zich te bevrijden. Trillend deed ze een stap achteruit. Deze Jordy kende ze niet, wilde ze ook niet kennen. Behalve angst voelde ze op dat moment ook woede.

Plotseling sloeg Jordy zijn handen voor zijn gezicht. Tot haar grote schrik zag Nicole dat er tranen tussen zijn vingers door gleden.

"Het spijt me," klonk het gesmoord. "Het spijt me zo, ik wilde je geen pijn doen. Ik wist niet wat ik deed. Vergeef me."

"Het is al goed," mompelde Nicole vermoeid. Ze ging naast hem zitten en sloeg haar arm om hem heen. Haar kwaadheid verdween bij het zien van zijn tranen. Jordy had nog nooit gehuild, het moest hem echt hoog zitten dat hij zich zo had laten gaan.

Zo bleven ze een tijdje zwijgend zitten, tot hij weer begon te praten.

"Ik heb een probleem, Nicole. Patrick krijgt nog honderdvijftig euro van me, van wiet die ik op rekening heb gekocht. Zo heb ik nog wat schulden uitstaan, in het café en bij Harry. Op zich niets vreemds, want ik koop vaker op rekening om het vervolgens te betalen zodra mijn uitkering gestort is. Deze keer gaat dat echter niet lukken. Je hebt zelf gezien wat een luttel bedrag ik nog maar krijg, dat is al op voordat het goed en wel op mijn rekening wordt gestort en daar kan ik echt geen schuld van aflossen. In deze kringen kun je niet zomaar zeggen dat je iets niet kunt betalen, dat is vragen om problemen. Het minst erge wat me dan kan gebeuren is een knokploeg die op me af wordt gestuurd."

"Als ik nu snel werk vind, kun je ze van mijn loon afbetalen," bood Nicole meteen aan.

Jordy schudde zijn hoofd. "Dat duurt te lang. Eind van deze week moeten ze het hebben, anders..." Hij sprak niet verder, maar maakte een veelzeggend gebaar met zijn handen waaruit Nicole ook wel begreep wat hij bedoelde.

Haar hart kneep samen van angst. Als er iets met Jordy gebeurde, stond ze helemaal alleen op de wereld.

"Enfin, dat zijn jouw zorgen verder niet," vervolgde hij. "Ik zie wel hoe ik het oplos. Nogmaals, het spijt me dat ik me zo liet gaan. Ik raakte in paniek en kon even niet meer helder nadenken. Sorry schat. Natuurlijk ben jij helemaal niet verplicht om dit te doen, ik kan me best voorstellen dat je het niet ziet zitten."

Hij wendde zijn gezicht af en staarde somber uit het raam, zijn lichaam af en toe nog naschokkend. Nicole kroop tegen hem aan. Ook bij haar sloeg de paniek nu toe. Ze zaten in een moeilijke situatie, dat was wel duidelijk. Als hem maar niets overkwam! Ze had er alles voor over om dat te voorkomen. Zelfs… Hier stokten haar gedachten. Het was te weerzinwekkend om zelfs maar aan te denken. Aan de andere kant ging het hier wel om haar geliefde Jordy, waar ze meer van hield dan van wie dan ook.

Ze sloot haar ogen en probeerde zich niet te laten overspoelen door de wanhoop die haar besprong. Haar gedachten gingen terug naar het verleden, naar haar vader, die zo plotseling uit het leven gerukt was terwijl zij hem zo hard nodig had. Naar Thijs, die van de ene op de andere dag, zonder afscheid, hun huis had verlaten en met wie de band verbroken was op het moment dat hij naar Frankrijk verhuisde. Naar haar moeder, bij wie ze vaak het gevoel had gehad dat ze haar dochter slechts als een lastig aanhangsel beschouwde en die geen enkele moeite had gedaan om haar op te sporen en terug naar huis te krijgen.

Ze opende haar ogen en keek naar Jordy. Haar enige houvast in dit woelige leven, de enige die ze vertrouwde, de enige die ze liefhad. Liefdevol pakte ze zijn hand, haar vingers omstrengelden de zijne.

"Ik doe het," zei ze toonloos.

Paula ging ondertussen helemaal op in haar relatie met Victor. Hij was een heel andere man dan Thijs, het had haar niet veel tijd gekost om daar achter te komen. Victor was een man die trouw binnen een relatie hoog in het vaandel had staan en hij nam geen ondoordachte stappen op dat gebied. Hun relatie bloeide dan ook slechts langzaam op.

Te langzaam, naar Paula's zin. Toch deed ze geen pogingen iets te forceren, omdat ze begreep dat zoiets alleen maar averechts kon werken. Ze wilde Victor hebben, hoe dan ook. Het liefst met een bruiloft erbij en de openlijk uitgesproken belofte dat ze de rest van hun leven met elkaar door zouden brengen.

Na Thijs had Paula bij Victor een zekere mate van rust gevonden. Bij hem voelde ze zich op en top vrouw, zonder dat ze daar overdreven moeite voor hoefde te doen. Victor vond het heel normaal dat ze niet altijd van top tot teen in de make-up zat. Hij vond haar zelfs leuker zonder al die troep op haar gezicht, had hij eens beweerd. Sinds die tijd gebruikte Paula nog niet de helft van de make-up die ze gewend was op haar gezicht te smeren. Dat ze geen volmaakte huisvrouw was vond hij ook niet erg.

"Een huis is er voor de bewoners, niet andersom," placht hij te zeggen. "Een verwaarloosde bende hoeft het niet te worden, maar gewoon leefbaar is genoeg." Dus stopte Paula met het door haar huis heen rennen om schoon te maken wanneer ze hem verwachtte. Zo was het ook met koken. Victor hield niet van koken, maar hij verwachtte niet dat zij iedere avond een uitgebreide maaltijd op tafel zette.

"Dat zou niet eerlijk zijn, zelf doe ik dat ook niet," zei hij daar over.

Al met al was de relatie met hem een verademing voor Paula. Ze hoefde niet langer op haar tenen te lopen om een man te behagen, ze mocht gewoon zichzelf zijn. Het was lang geleden dat ze zich bij een man zo op haar gemak had gevoeld. Thijs had haar dat gevoel in ieder geval nooit kunnen geven. Van hem was ze geen seconde zeker geweest en ze had altijd haar uiterste best moeten doen om hem bij zich te houden. Victor hield van haar om wie ze was en Paula was daar zelf nog het meest verbaasd over. Het deed haar terug denken aan de jaren met Dick, die haar ook had geaccepteerd zoals ze was, mét al haar fouten en gebreken.

Victor had eigenlijk maar twee minpuntjes in Paula's ogen. Hij wilde niet met haar samenwonen omdat ze elkaar, volgens zijn mening, niet lang genoeg kenden voor zo'n grote stap én hij kon het niet laten om steeds weer over Nicole te beginnen. Nicole, haar koppige dochter, van wie Paula het helemaal niet zo erg vond dat die tegenwoordig haar eigen leven leidde.

Ze miste haar niet bovenmatig, aan zichzelf durfde ze dat wel toe te geven. Het gaf een bepaalde rust dat ze niet langer rekening met haar dochter hoefde te houden en ze het huis voor zich alleen had. Ze voelde zich nu vrij. Geen haar op haar hoofd die eraan dacht haar op te sporen en terug te halen. Nicole was zestien, bijna zeventien, dus oud genoeg om zelfstandig te zijn, oordeelde Paula. Bovendien was ze verliefd, dus vond Paula het logisch dat ze liever bij die jongen woonde dan bij haar moeder. Zelf had ze niet anders gedaan op die leeftijd. Het was jammer dat hun contact helemaal verbroken was, maar als Nicole dat zo wilde, respecteerde zij dat. Ze ging ervan uit dat ze vanzelf wel een keer terug zou komen.

Om dit tegen Victor te zeggen was echter een heel ander verhaal. Hoewel hij Nicole helemaal niet kende, leek hij zich ongeruster over haar te maken dan Paula zelf.

"Doe je eigenlijk wel iets om haar op te sporen?" vroeg hij op een gegeven moment weer aan haar.

"Natuurlijk," loog Paula. "Er is echter niet veel wat ik kan doen, het is in handen van de politie en die lopen niet zo hard. Ze vinden een meisje van die leeftijd, dat van huis wegloopt helemaal niet vreemd, het schijnt regelmatig voor te komen."

"Ik zou geen oog dichtdoen als het mijn dochter was," zei hij. Hij staarde naar de laatste schoolfoto die van Nicole gemaakt was en die Thijs nog aan de muur had gehangen, vlak voordat de bom tussen hen barstte. "Het is een knappe meid. Ben je nooit bang dat ze in verkeerde handen valt?"

"Nicole is verstandig genoeg," antwoordde Paula kort. Ze zuchtte inwendig. Altijd dat gezeur over Nicole. Ze was er geen seconde bang voor dat die zichzelf niet kon redden. Op een hoop vlakken was Nicole zelfs volwassener dan zij, al leek het haar beter om dat niet hardop te zeggen. Zo zeker was ze nu ook weer niet van Victor en ze wilde vooral niets doen om hem weg te jagen. Bij de gedachte dat ook deze relatie verbroken zou worden, voelde Paula haar keel dichtknijpen van angst.

Victor haalde zijn arm achter Paula's rug vandaan en hij schoof iets van haar weg op de brede bank. "Ik krijg weleens de indruk dat het je weinig kan schelen en dat kan ik niet goed rijmen met de Paula die ik heb leren kennen," zei hij voorzichtig.

Paula schrok. Dit was precies waar ze bang voor was geweest. Zelfs nu Nicole er niet bij was, was ze dus in staat deze relatie voor haar te verpesten.

"Hoe kun je dat nu zeggen?" verweet ze hem met een verstikte stem. "Jij hebt geen kinderen, je kunt hier helemaal niet over oordelen. Dat ik niet vaak over Nicole praat wil niet zeggen dat ze niet voortdurend in mijn gedachten is. Wat wil je nu eigenlijk? Dat ik de hele dag in een hoekje ga zitten treuren omdat mijn dochter liever bij haar vriend woont dan bij mij? Dat is mijn stijl nu eenmaal niet. Ik probeer met man en macht mijn leven weer op te pakken na alles wat ik heb meegemaakt en dat is verdomd moeilijk. Van jou had ik daar wat steun in verwacht, in plaats van verwijten die nergens op slaan."

"Sorry, zo bedoelde ik het niet," verontschuldigde hij zich meteen. "Je bent een hele sterke vrouw, Paula."

"Een sterke vrouw die op zijn tijd graag even wegduikt in de veilige armen van een man," fluisterde ze terwijl ze tegen hem aankroop. Tevreden voelde ze hoe zijn armen zich weer om haar heen sloten. Weer een storm bezworen. "Ik voel me vaak zo alleen hier in huis," ging ze zacht verder, van de gelegenheid gebruik makend. "Is het eigenlijk geen onzin dat we allebei ons eigen huis hebben? Ik houd van je, wat mij betreft is er geen enkele belemmering om samen te gaan wonen. Afgezien van het feit dat ik jou graag in mijn nabijheid heb, lijkt het me ook heerlijk om weer iemand in huis te hebben om voor te zorgen."

"Misschien moeten we die stap inderdaad eens zetten," gaf hij toe. Afwezig streelde hij door haar haren. Hij hield van deze vrouw, toch was er nog steeds iets wat hem belette zich volledig aan haar over te geven. Iets waar hij de vinger niet op kon leggen. Na zijn onterechte verwijt van daarnet wilde hij echter niet ronduit zeggen dat hij nog niet aan de volgende stap binnen hun relatie toe was. Hij kon zichzelf wel slaan om zijn ondoordachte opmerking, die duidelijk hard aangekomen was bij haar. Maar hij begreep werkelijk niet dat Paula zo rustig, soms zelfs bijna onverschillig, bleef onder het feit dat ze niet wist waar haar dochter was. Zelf zou hij gek worden van angst. Wilde hij werkelijk zijn leven delen met een vrouw die daar zo luchtig overheen stapte, zelfs al was dat slechts uiterlijke schijn? Daar kwam hij niet helemaal uit. Een volmondig 'ja' kon hij er in ieder geval niet op antwoorden.

Paula was echter al meer dan tevreden met zijn vage toezegging. Het kwam allemaal goed, dacht ze triomfantelijk. Het moest al heel raar lopen als hij niet binnen twee weken bij haar ingetrokken was en dan zou ze hem nooit meer laten gaan.

HOOFDSTUK 12

Met een misselijk gevoel van tegenzin kleedde Nicole zich aan om de deur uit te gaan.

"Niet die dikke trui," zei Jordy vanaf het bed. "Trek dat zwarte bloesje maar aan. Dat staat je heel sexy."

"Ik heb geen zin om me sexy aan te kleden," zei Nicole kortaf. "Niet voor hem."

"Doe nou niet zo moeilijk. Alsjeblieft." Jordy stond op en kwam naar haar toe om haar te omhelzen. Bijna voorzichtig trok hij haar tegen zich aan. "Dit is voor ons allebei zwaar, Nicole. Ik had het ook veel liever anders gezien. Geloof me, als er een andere oplossing was zou ik daarvoor gaan."

"Je zou een baan kunnen zoeken," reageerde Nicole vinnig. Ze schrok van de donkere blik die ineens in zijn ogen verscheen en de trek van woede om zijn volle lippen. "Sorry," zei ze dan ook snel. "Ik ben zenuwachtig."

"Dat is toch nergens voor nodig, liefje," zei Jordy, alweer verzoend door haar verontschuldiging. "Wat stelt het nou helemaal voor? Je gaat met hem naar bed en dan kom je weer naar huis, naar mij. Dat is alles."

"Hij heeft anders betaald voor een nacht, niet voor een halfuurtje," hielp Nicole hem herinneren.

Jordy haalde zijn schouders op. "Zodra hij slaapt kun je weg." Hij klopte op zijn achterzak, waar een bedrag van driehonderdvijftig euro in zat. De vijfhonderd van Patrick min de honderdvijftig die Jordy hem nog verschuldigd was. "En dan gaan wij feestvieren, we hebben nu poen zat."

"Je moest nog meer schulden afbetalen."

"Dan hou ik er nog wel iets van over. Genoeg om jou eens te verwennen met een etentje buiten de deur," beloofde Jordy haar terwijl hij haar een tedere zoen gaf. "Dank je wel," fluisterde hij in haar oor. "Ik vind het heel bijzonder dat je dit voor me over hebt. Zonder jou had ik nu zwaar in de problemen gezeten."

"Ik houd toch van je," zei Nicole simpel. Ze beantwoordde zijn zoen en leunde even tegen hem aan. Hoefde ze maar niet weg, kon ze maar gewoon bij hem blijven. Er was echter geen weg meer terug, dat wist ze. Patrick had al betaald, als zij het nu af liet weten zou Jordy dat op zijn boterham krijgen. Er was weinig fantasie voor nodig om te bedenken wat er dan met hem ging gebeuren en dat wilde ze niet op haar geweten hebben.

Ze bleef zo lang mogelijk dralen, maar op een gegeven moment kon ze het niet langer meer uitstellen. Patrick verwachtte haar om negen uur bij hem thuis, het was nu kwart voor negen en het was minstens twintig minuten fietsen. Ze hoopte dat Jordy aan zou bieden haar onderweg te vergezellen, hij maakte echter geen enkele aanstalten in die richting.

"Je moet gaan," drong hij zelfs zacht aan terwijl hij zelf op de bank ging zitten.

Ze beet op haar lip en stond op. Ze wilde het niet aan hem vragen, dit moest uit hemzelf komen. Maar waarschijnlijk was dat te moeilijk voor hem, bedacht ze terwijl ze uiterst langzaam haar jas aantrok. Hij zou het vast niet kunnen verdragen om haar bij Patrick voor de deur af te zetten en dan zelf weg te gaan, wetende wat zij met zijn vriend ging doen. Daar moest ze begrip voor opbrengen.

Na nog een laatste zoen en nogmaals een dankbetuiging van Jordy aan haar adres, vertrok ze. Met het gevoel of er lood in haar benen zat fietste ze naar de andere kant van de stad, waar Patrick een luxe flat bewoonde.

"Met bubbelbad," had Jordy aangevoerd. Alsof dat een pluspunt was, iets waar ze blij mee moest zijn.

Kon ze er maar vandoor gaan. Gewoon haar stuur een andere richting opdraaien en weg fietsen. Ver weg. Maar die mogelijkheid was er niet. Ze had hierin toegestemd, nu moest ze wel. Er was trouwens geen enkele plek waar ze heen kon gaan. Haar moeder? Nicole lachte bitter hardop. Die zag liever haar hielen dan haar tenen. Zo dol was die niet op haar. Paula kennende zou ze koeltjes zeggen dat ze zichzelf in de nesten had gewerkt, dus dat ze ook zelf maar moest zorgen dat ze er weer uitkwam.

Als Thijs nog in de stad had gewoond was ze wellicht naar hem toe gegaan, maar ook die weg was afgesneden. Hij had haar laten barsten toen dat hem beter uitkwam, alsof hij nooit deel van haar leven had uitgemaakt. Er was gewoonweg helemaal niemand, behalve Jordy. Dat was iets wat ze goed voor ogen moest houden tijdens de avond die voor haar lag. Ze deed dit voor hem. Tegen halftien arriveerde ze bij de bewuste flat. Patrick stond al voor het raam op de uitkijk, zag ze. Nog voordat ze aan kon bellen sprong de automatische deur die naar het trappenhuis en de liften leidde al open. Langzaam liep ze de trappen naar de tweede verdieping op. Patrick stond op de galerij, hij grijnsde wellustig bij de blik die hij haar toewierp.

"Ze is er," sprak hij in zijn mobiel. "Je had gelijk, ze is er niet vandoor gegaan. Maar goed ook, dat is een stuk beter voor jouw gezondheid." Hij grijnsde onaangenaam.

Nicole begreep dat hij Jordy aan de lijn had. De dreiging die uit zijn woorden sprak was niet gespeeld. Hij meende het, daar was ze zich goed van bewust. Als ze niet wilde dat Jordy iets overkwam moest ze nu al haar gevoelens uitschakelen en alles over zich heen laten komen. Het ging maar om een paar uurtjes, probeerde ze zichzelf wanhopig moed in te spreken.

"Dag liefje," sprak Patrick. "Je bent laat."

"Ik was de weg kwijt," verzon ze snel.

Zijn mond vertrok in een laatdunkend lachje. Waarschijnlijk keek hij dwars door haar heen en geloofde hij er geen woord van. "Enfin, je bent er, daar gaat het om. Wij gaan het samen heel gezellig maken, liefje."

De hand die hij in haar rug legde terwijl hij haar zachtjes naar binnen duwde, voelde voor Nicole aan als een bankschroef. Ze kon geen kant meer op. Binnen schonk hij een glas witte wijn voor haar in. Nicole, die maar zelden dronk, sloeg het glas in één keer achterover en hield het vervolgens nog eens voor. Het tweede glas ging dezelfde weg. Het hielp. Ze voelde zich iets losser en overmoedig worden. Het leek ineens allemaal niet meer zo heel erg nu haar spieren iets ontspanden.

Patrick keek met een minzame glimlach toe. Ineens liep hij naar haar toe en begon hij haar wang te strelen.

"Je bent verdomd mooi," zei hij met een hese stem. Zijn ogen waren donker van verlangen, wat Nicole niet bepaald aangenaam of vleiend vond. Zijn hand zakte af naar beneden, langs haar hals, beroerde even het kuiltje boven haar sleutelbeen en bleef vervolgens steken bij haar borsten. Nicole's adem stokte.

"Kleed je uit," beval hij kort.

Ze bleef bewegingloos staan, niet bij machte om iets te doen. Ze hoorde zijn bevel wel, maar haar hersens registreerden het niet. Met één snelle beweging trok hij het zwarte bloesje open dat ze op aandringen van Jordy toch maar had aangetrokken.

Ze schrok op. "Ik doe het al," zei ze haastig.

Snel, zonder effectbejag, liet ze de bloes op de grond zakken, daarna volgde haar spijkerbroek dezelfde weg. Uiteindelijk stond ze in haar ondergoed voor hem terwijl hij afwachtend toe bleef kijken. Hier nam hij geen genoegen mee, begreep ze. Met de moed der wanhoop begon ze haar bh los te maken. Ze durfde hem niet aan te kijken, want de begerige en wellustige blikken die hij haar toewierp maakten haar misselijk. Met haar ogen naar beneden geslagen hoorde ze hem bewonderend fluiten.

"Ik krijg wel waar voor mijn geld," zei hij waarderend.

Zonder dichterbij te komen strekte hij zijn arm uit, streelde de blote huid van haar buik, kneep even in haar arm en masseerde haar borst. Nicole had zich nog nooit eerder zo vernederd gevoeld. Ze leek wel een koe op een veemarkt. Handelswaar, meer was ze niet voor hem.

Plotseling lag zijn hand op haar rug en trok hij haar naar zich toe. Ruw zocht zijn mond de hare. Snel draaide Nicole haar gezicht weg.

"Hoeren zoenen niet," zei ze hard. Dat had ze ooit gezien in een film en dat kwam haar nu bijzonder goed van pas. De geur van zijn adem deed een nieuwe golf misselijkheid omhoog komen.

Patrick lachte kort. "Jij bent geen hoer."

"Je hebt voor me betaald, hoe wil je het anders noemen?" weerlegde Nicole. "Ik meen het, Patrick. Niet zoenen."

"Dan gaan we maar meteen voor het echte werk."

Zonder pardon duwde hij haar naar de slaapkamer, waar hij haar op het bed gooide. Terwijl ze angstig afwachtte begon hij zich uit te kleden. Even later voegde hij zich bij haar op het brede bed. Nicole sloot haar ogen en liet alles over zich heen komen. Hij had weliswaar voor haar betaald, maar ze was niet van plan om actief mee te werken. Al haar spieren stonden gespannen, waardoor ze een kreet van pijn niet kon onderdrukken toen hij zonder enige voorbereiding haar lichaam binnendrong. Het duurde slechts enkele minuten. Nicole telde in haar hoofd van honderd terug naar beneden om zich ergens op te kunnen richten. De derde keer dat ze dat deed slaakte Patrick een diep zucht en rolde hij van haar af. Minutenlang bleven ze zo zwijgend liggen. Nicole had geen idee wat er nu van haar verwacht werd. Ineengedoken lag ze naast hem.

"Je werk zit erop, je kunt gaan," klonk zijn stem hard.

Ze kon haar oren bijna niet geloven.

"Wat bedoel je?" stamelde ze.

"Je bent toch niet doof? Donder op," zei hij grof. Hij richtte zich op zijn ellebogen omhoog. "Hoeren slapen niet bij hun klanten."

Meer aansporing had ze niet nodig. Razendsnel sprong ze het bed uit, om in zijn huiskamer vlug in haar kleren te schieten. Ze keek niet meer om toen ze de flat verliet. Nog nooit eerder was ze zo snel twee trappen afgerend. Bang dat hij alsnog van gedachten zou veranderen en haar achterna zou komen, pakte ze onderweg al haar fietssleutel uit haar zak. Jachtig fietste ze door de stille straten naar huis. De kerkklok sloeg tien uur. Tien uur?

Verward keek ze omhoog om die tijd te controleren. Tien uur! Het hele gedoe had maar net een halfuur geduurd, inclusief het drinken van twee glazen wijn. Het voelde echter alsof ze twee weken bij Patrick had doorgebracht. Haar lijf was beurs en haar spieren, nog steeds tot het uiterste gespannen, deden pijn.

Jordy sprong overeind zodra ze de zolderkamer betrad.

"Wat doe jij nou hier? Wat is dit? Nicole, je bent er toch niet zomaar vandoor gegaan? Hij vermoordt me!" Zijn stem klonk paniekerig.

Ze schudde haar hoofd, niet bij machte om meteen te kunnen praten.

"Waarom ben je dan hier? Dit is niet de afspraak." Zijn ogen vernauwden zich en met zijn handen op zijn rug ijsbeerde hij door de kleine kamer heen en weer. "Als jij niet gedaan hebt wat hij wil, dan…" Hij praatte niet verder, maar de dreigende ondertoon was duidelijk hoorbaar in zijn stem.

"Ik mocht weg," zei ze nauwelijks hoorbaar.

"Weg? Hoezo mocht je weg?"

"Nou, gewoon. Ik kon vertrekken toen hij klaar was."

"Je bedoelt…? Hij heeft…? Je hebt wel…?" hakkelde Jordy verward.

"Ja, ik heb wel, ja," zei ze ineens hard. "En het was vreselijk."

"Maar in ieder geval niet lang." Jordy begon te lachen. "Was dit echt alles? Je bent nog geen anderhalf uur weg geweest en dat is inclusief bijna een uur fietsen. Wat een mop! Dan heeft hij dus vijfhonderd euro betaald voor een halfuurtje!"

"Ik ben blij dat jij er de lol van in kunt zien, dat is mij nog niet gelukt," zei Nicole koeltjes terwijl ze opstond. "Ik ga douchen."

"Wacht even, schat." Hij hield haar tegen toen ze de kamer wilde verlaten. Met zijn armen om haar heen wiegde hij haar zacht heen en weer. "Dit is toch eigenlijk fantastisch? Je was bang dat je de hele nacht bij hem moest blijven en in plaats daarvan ben je nu alweer terug. Vijfhonderd euro! Heb je enig idee hoeveel uren je daarvoor moet zwoegen in een winkel? Hoeveel kranten je voor dat bedrag rond moet brengen?"

"Dat kan me eigenlijk niet schelen," zei Nicole mat. "Ik wil me alleen maar wassen. Je hebt geen idee hoe smerig ik me voel."

"Dat zit tussen je oren," beweerde Jordy serieus. "Kom op, Nicole. Dit stelde nauwelijks iets voor. Met boodschappen doen ben je langer bezig." Hij lachte hard om zijn eigen grapje.

"Laat me los." Nicole sloeg zijn armen weg en liep door. Ze verlangde ernaar om onder de warme waterstralen te staan. De geur van Patrick moest van haar lichaam gewassen worden, het liefst zo snel mogelijk.

"Ga maar," zei Jordy met een blik op haar strakke gezicht. "Dan maak ik iets te drinken voor je. Wat wil je hebben?"

"Koffie. Sterke koffie," antwoordde Nicole dof.

Opluchting maakte zich van haar meester op het moment dat de eerste waterstralen haar lichaam raakten. Nu kon ze het tenminste van zich afwassen en vervolgens doen alsof het allemaal nooit gebeurd was. Jordy had eigenlijk wel gelijk, het had inderdaad niets voorgesteld. Het was weliswaar een verschrikkelijk halfuur geweest, maar ze had hen daarmee toch wel mooi uit de problemen gehaald. Vijfhonderd euro was veel geld. Als ze dit wekelijks zou doen, hadden ze een behoorlijk hoog inkomen, grinnikte ze in zichzelf, al kon ze een rilling van afschuw niet onderdrukken bij die gedachte. Hopelijk was het niet meer nodig.

Ze voelde zich een heel stuk beter nu haar lichaam naar douchecrème geurde in plaats van naar Patrick. De afgelopen avond leek nu heel onwerkelijk, alsof ze het slechts gedroomd had.

Jordy had inderdaad koffie gezet. Te sterk, zoals altijd, maar deze keer vond Nicole dat niet erg. Ze dronk er met kleine slokjes van. De warmte van de vloeistof verspreidde zich weldadig door haar lichaam heen, zodat ze zich helemaal loom voelde worden. Jordy zat naast haar, hij masseerde zacht haar schouders. Hij was bijzonder lief voor haar nu zij haar aandeel geleverd had.

"Je bent een kanjer," zei hij. "Ik vond het zo vreselijk dat ik je dit aan moest doen. Je weet niet half hoe beroerd ik me vanavond heb gevoeld, maar dankzij jou zijn me een hoop problemen bespaard gebleven. Jij hebt de prijs betaald, niet ik. Ik zou het begrijpen als je me nooit meer wil zien, Nicole."

"Ach, het was dat halve uurtje wel waard," glimlachte Nicole terwijl ze tegen hem aankroop. "Zeg niet van die rare dingen, Jordy. We zijn toch een team? Ik heb hier zelf voor gekozen en als het nodig was zou ik het zo weer doen."

Ondanks haar bravoure kroop er alweer een rilling over haar rug. Ze hoopte dat ze het beeld van Patrick die met een vertrokken gezicht boven haar hing, ooit kon vergeten. Ze was echter bang van niet. Op dit moment stond het op haar netvlies gegrift. Af en toe leek het ook net of ze zijn handen nog voelde.

"Je ligt wel goed in de markt, ja," lachte Jordy met haar mee, opgelucht dat ze het blijkbaar zo goed opvatte. Hij had scènes en ruzie verwacht, niet dit. "Vijfhonderd euro, schatje. Schoon in de pocket. Je weet wat ik gezegd heb, morgen neem ik je mee uit eten."

Nicole zweeg. Eten, dat was wel het laatste waar ze nu aan moest denken. Ze zou van geen enkele hap kunnen genieten, wetende hoe het geld voor dat etentje verdiend was. Maar ach, veel illusies maakte ze zich toch niet om Jordy's culinaire uitspattingen. Zijn toppunt van luxe was een bezoek aan de shoarmatent om de hoek.

Ze sloot haar ogen en probeerde te genieten van de massage die Jordy haar gespannen schouders gaf. Nog steeds stond ze stijf van de spanning, daar konden zijn handen niets aan veranderen. Ze schrok toen die afdaalden naar beneden en haar borsten beroerden.

"Niet doen," zei ze bruusk. Snel ging ze recht overeind zitten.

Hij keek haar verbaasd aan. Ze had hem nog nooit afgewezen.

"Ik ben niet in de stemming. Niet na…." Ze stokte.

"Dat wil ik je juist doen vergeten," zei hij zacht terwijl hij haar opnieuw naar zich toetrok. "Kom hier, liefje. Denk niet meer aan Patrick, maar aan mij."

Nicole stribbelde niet langer tegen, hoewel haar lijf aan alle kanten protesteerde. Ze hoopte dat hij gelijk had en ze inderdaad kon vergeten wat er eerder op de avond gebeurd was. Het bleek ijdele hoop te zijn. In plaats van Jordy bleef ze Patrick voor zich zien. Na afloop lag ze nog lang in het donker te staren terwijl Jordy naast haar in slaap gevallen was. Ze wist zelf niet goed hoe ze zich voelde. Leeg. Dof. Alsof ze door een beslagen ruit naar zichzelf keek. Ze trok het dekbed strak om zich heen, alsof dat haar bescherming kon bieden.

Ze had hier goed aan gedaan, hield ze zichzelf voor. Soms moest een mens nu eenmaal dingen doen die nodig waren, ook als je dat niet wilde. Dit was nodig geweest. Jordy had haar opgevangen toen ze nergens anders meer terecht kon en nu had ze daar iets voor terug kunnen doen. Ze moest er nu niet verder over door blijven zeuren en het achter zich laten. Het was klaar.

Ondanks die gedachten kon ze de slaap niet vatten. Uiteindelijk verliet ze het bed om een beker hete thee voor zichzelf klaar te maken. Klaarwakker zat ze op de bank. Jordy's zachte gesnurk vulde de kamer. Ze hield zoveel van hem dat dit gesnurk haar altijd vertederde, op dit moment haatte ze het echter. Het leek niet eerlijk dat hij rustig lag te slapen terwijl zij opgefokt op de bank zat. Diep dook ze weg in haar wollen duster. Ze had het koud. Haar lichaam voelde aan alsof het nooit meer warm zou worden, evenals haar hart.

HOOFDSTUK 13

De dag brak aan dat Victor bij Paula introk, zij het nog steeds met de nodige twijfels. Hij begreep zelf dan ook niet goed waarom hij zich toch liet overhalen door haar. Eigenlijk was dit niks voor hem, standvastig als hij meestal was. Maar hij gaf genoeg om haar om de poging te wagen. Bovendien wist hij dat Paula er moeite mee had om alleen te zijn. Ze liet niet altijd merken dat ze haar dochter miste, toch moest dat een vreselijk gevoel zijn, dacht hij. Als hij haar eenzaamheid en verdriet enigszins weg kon nemen op deze manier, waarom dan niet?

"Dat lijkt me toch niet de beste basis om mee te beginnen," merkte zijn broer Arend op. Ze dronken samen een pilsje nadat Arend Victor had geholpen met het inpakken van zijn spullen. Het meeste bleef overigens in Victors riante flat staan, omdat hij die voorlopig nog aanhield. "Ik heb niet het gevoel dat jij echt voor die vrouw gaat. Het is een beetje halfslachtig allemaal, niks voor jou."

"Ik hou van Paula," verdedigde Victor zichzelf.

"Dat geloof ik best, maar is ze ook echt de liefde van je leven? Wil je oud worden met haar?" Arend keek Victor vorsend aan. Ze hadden vaker dit soort gesprekken gevoerd en kenden elkaar op dit gebied door en door. Hij wist precies hoe Victor tegen de liefde aankeek en had dan ook zijn twijfels bij zijn relatie met Paula. Hij had haar pas twee keer ontmoet, maar kon niet zeggen dat ze echt bij zijn broer paste, voor zover hij dat kon beoordelen.

"Dat weet ik nog niet," antwoordde Victor eerlijk.

"Waarom dan samenwonen?" vroeg Arend. "Jou kennende had

ik dat niet verwacht. Je hebt zelf altijd geroepen dat je zo'n stap pas wilt zetten als je volkomen zeker van je zaak bent."

"Het komt mede door de omstandigheden waarin Paula verkeert," verklaarde Victor. "Ze is erg eenzaam, zeker sinds haar dochter weggelopen is. Ik begrijp trouwens niet dat jullie niet wat meer moeite doen om dat kind te vinden."

"Ho, ho." Arend hief afwerend zijn handen omhoog. "Dat is mijn afdeling niet, ik ben rechercheur bij de zedenpolitie. Weggelopen meisjes van zestien jaar zijn overigens geen uitzondering, helaas. Het komt te vaak voor om daar een politiemacht op te zetten. We zetten ze op de telex en verspreiden een signalement en daar blijft het vaak bij, behalve als er vermoedens van ontvoering of mensenhandel zijn. In dit geval is dat niet zo, begreep ik uit jouw verhaal. Die Nicole zit toch ergens bij een vriendje?"

"Dat heeft ze geroepen, ja. Paula kent die jongen niet. Ze weet geen naam of adres."

"Dan wordt het zoeken wel heel erg moeilijk. Je kunt toch niet verwachten dat we onze agenten deur langs deur sturen om te kijken of ze daar ergens ingetrokken is," zei Arend nuchter.

"Dat weet ik wel, maar toch…" Victor zuchtte. "Het moet ontzettend zwaar zijn voor Paula, al doet ze haar best om mij daar niet mee te belasten. Je eigen dochter die weg is, ik moet er niet aan denken! Ik ken heel die Nicole niet, maar het houdt me toch enorm bezig."

"Dat is niet zo vreemd, aangezien je van haar moeder houdt," meende Arend. Hij zette zijn lege flesje op tafel en wreef met de rug van zijn hand langs zijn mond. "Zullen we gaan? Wat moet er nog meer mee behalve die dozen en koffers?"

"Niets," antwoordde Victor. Hij liet zijn ogen langs zijn meubels glijden. "Ik neem alleen persoonlijke spullen mee, de rest blijft hier voorlopig staan. Tegen de tijd dat ik de flat ga verkopen zie ik wel verder."

"Je houdt hem aan als achterdeurtje," begreep Arend. Zijn mond vertrok spottend. "Ja, je gaat er echt voor, dat merk ik wel."

"Bemoei je daar niet mee." Victor sloeg zijn oudere broer vriendschappelijk op zijn schouder. "Normaal gesproken had ik inderdaad nog even gewacht met deze stap, maar ik wil haar graag helpen en steunen in deze tijd. Liefde is soms ook je eigen wensen en belangen opzij zetten ten behoeve van de ander."

"Ze boft in ieder geval met jou," zei Arend hartelijk.

Ze zetten samen de dozen en koffers in het bestelbusje van Arend en reden vervolgens achter elkaar aan, Victor in zijn eigen auto, naar het huis van Paula. De deur ging al open voor ze goed en wel uitgestapt waren.

"Daar zijn jullie dan." Paula kwam enthousiast naar buiten. Ze begroette Victor met een lange zoen op zijn mond en gaf Arend drie kussen op zijn wangen, die hij ternauwernood beantwoordde. Hij mocht deze vrouw niet zo erg. Zonder dat ze erover praatten had hij hetzelfde gevoel dat Victor vaak beving. Iets wat hij niet goed onder woorden kon brengen, maar wat aangaf dat er iets niet klopte. Iets ondefinieerbaars. Alsof Paula een goed ingestudeerd toneelstukje opvoerde in plaats van haar ware aard te laten zien. Hij hoopte van harte dat hij het mis had en dat Victor heel gelukkig met deze Paula zou worden, maar hij twijfelde daar sterk aan.

"Heb je mijn hulp nog nodig bij het uitpakken of kan ik weg?"

informeerde Arend nadat alles vanuit het busje in huis was gezet. "Nee, uitpakken lukt me zelf wel," grijnsde Victor.

"Maar je gaat toch nog niet weg?" Paula stak haar arm door die van Arend en trok hem mee naar binnen. "Ik sta erop dat je eerst iets drinkt. Dat heb je wel verdiend, zwager van me." Ze knipoogde naar hem en Arend glimlachte beleefd terug.

In de huiskamer keek hij met een snelle blik om zich heen, beroepsmatig gewend om alle mogelijke informatie in zijn geheugen op te slaan.

"Is dat Nicole?" vroeg hij zodra Paula de kamer had verlaten om drinken in te schenken. Hij maakte een hoofdbeweging naar de schoolfoto aan de muur.

Victor knikte. "Deze is acht maanden geleden gemaakt, dus zo heel veel zal ze nog niet veranderd zijn."

Arend monsterde het portret van de tiener met de donkerblonde haren, de bruine ogen en de paar sproetjes op haar neus. Met haar mond lachte ze plichtmatig naar de camera, maar haar ogen deden daar niet aan mee. Die stonden ernstig in het smalle gezichtje, te wijs en te somber voor een meisje van die leeftijd. Ze zag er niet uit als de geijkte, zorgeloze tiener, die onbevangen in het leven stond en veel lol maakte. Ieder detail van dit gezicht prentte hij in zijn geheugen, hopend dat het eens van pas zou komen. Hij wilde niets liever dan zijn broer helpen.

"Ik zal kijken wat ik kan doen," beloofde hij.

Een uur later zat hij achter zijn bureau. Met een paar muisklikken vroeg hij het bestand op waar alle vermiste personen in vermeld stonden. Fronsend scrolde hij langs de pagina's. Nicole stond hier helemaal niet bij. Ze was dus niet als vermist opgegeven, anders hadden haar gegevens hierbij gestaan, dat kon niet anders. Paula had dus gelogen toen ze Victor vertelde dat ze naar de politie was gegaan. Eigenlijk was Arend hier niet eens zo heel erg verbaasd over. Het bevestigde zijn vermoedens dat er iets niet klopte aan die vrouw. Helemaal eerlijk was ze in ieder geval niet.

Na enige aarzeling toetste Arend het mobiele nummer van Victor in. Hij wist niet zeker of hij hier goed aan deed, toch besloot hij dat Victor dit moest weten. Wat hij verder met die informatie ging doen, was aan hemzelf, maar hij had recht op de waarheid.

"Victor," klonk het kort in zijn oor.

"Met mij. Ik ben even in het dossier van vermiste personen gedoken," kwam Arend meteen tot de kern van de zaak.

"En?" vroeg Victor gespannen. "Heb je iets gevonden?"

"Ja, maar het is iets waar je waarschijnlijk niet blij mee bent. Nicole is nooit als vermist opgegeven bij de politie," antwoordde Arend zonder dralen. "Ze is niet terug te vinden in het bestand."

"Kan dat een fout van jullie zijn?" vroeg Victor na een korte stilte.

"Onmogelijk."

"Dus dat betekent…?"

"Dat Paula tegen je gelogen heeft."

"Wat kan ze daar voor redenen voor hebben?" vroeg Victor zich hardop af.

"Dat zul je aan haar moeten vragen. Zoals ik het nu bekijk, denk ik dat het voornamelijk bedoeld is om jouw medelijden op te wekken of zoiets. Paula zit er niet echt mee dat Nicole weggelopen is. Die indruk had jij in het begin ook al, weet je nog? Dit lijkt me voldoende bewijs om dat te staven. Waarschijnlijk was ze bang dat jij er meteen vandoor zou gaan als je tot de ontdekking kwam dat ze niet zo'n liefhebbende moeder is." Arend wist zelf niet hoe dicht hij in de roos schoot met deze veronderstelling. Met zijn ervaring en mensenkennis, opgedaan in zijn beroep, durfde hij er een maandsalaris onder te verwedden dat Paula niet echt slecht of crimineel was, wat hij ook heel vaak meemaakte, maar wel oppervlakkig en egoïstisch. Door zijn twee nichtjes van vijftien wist hij heel goed hoe lastig pubers konden zijn en hij vond Paula echt een type om blij te zijn dat ze van die zorg verlost was, zonder stil te staan bij het welzijn van haar dochter. Victor bedankte Arend voor de informatie en verbrak de verbinding. Peinzend staarde hij voor zich uit. Hij had van het begin af aan geweten dat er iets niet klopte, maar dit had hij niet verwacht. Het viel hem behoorlijk rauw op zijn dak dat Paula gelogen had over zoiets belangrijks. Zijn gedachten gingen terug naar de avond waarop ze verteld had dat Nicole weggelopen was en nadat hij dat gesprek in zijn hoofd teruggehaald had, kon hij niet anders dan concluderen dat Arend hoogstwaarschijnlijk gelijk had met zijn bewering. Paula had er blijkbaar veel, heel veel, voor over om hem te houden. Hij was er met open ogen ingelopen en kende haar dus niet zo goed als hij gedacht had. Geen prettige ontdekking, zeker niet op dit moment, nu hij net bezig was zich te installeren in haar huis.

"Schiet je al een beetje op?" Paula stak haar hoofd om de deur van de slaapkamer, waar hij zijn koffers uit stond te pakken. "Niet echt, zie ik." Ze kwam nu helemaal naar binnen en sloeg lachend haar armen om zijn hals. "Hulp nodig? Of wil je liever iets anders doen dan uitpakken?" Met een verleidelijke blik in haar ogen begon ze plagend de knoopjes van zijn overhemd los te maken.

"Nu niet." Snel pakte Victor haar handen vast, verward door wat hij zojuist te horen had gekregen. Wat moest hij hier nu mee? Paula confronteren met wat Arend gezegd had of net doen of hij van niets wist? Hij besloot voorlopig tot het laatste. Misschien had Paula wel een hele goede reden om over dit onderwerp te liegen, hij wilde haar niet bij voorbaat veroordelen op basis van één enkel feit. "Ik maak dit even snel af en dan gaan we samen uit eten. Kies jij maar een leuk restaurant," zei hij om zijn afwijzing te verzachten. Hij lachte naar haar en gaf haar een zoen, toch kon hij niet voorkomen dat hij een bittere smaak in zijn mond kreeg. Het voelde toch een beetje alsof hij er ingeluisd was door haar, niet het leukste gevoel om hun samenwonen mee te beginnen.

Het lukte Nicole niet om een baantje te vinden, zelfs geen krantenwijk. Hoewel ze een paar keer per week in de bibliotheek de kranten nakeek en ze op een aantal advertenties reageerde, ook op die ze op winkelruiten zag staan, werd ze nergens aangenomen. Het geld dat Jordy overhad van de vijfhonderd euro die Patrick betaald had, was echter heel snel op. De uitkering die hij die maand gestort kreeg was zo laag dat ze na aftrek van de vaste lasten niets overhielden.

"Als we deze maand willen eten zal er toch iets moeten gebeuren," zei Jordy met een somber gezicht. "Mijn rekening is leeg, Nicole, evenals de jouwe."

"Morgen heb ik een gesprek bij dat warenhuis, hopelijk levert dat iets op," zei Nicole hoopvol.

"Dan nog. Stel dat je wordt aangenomen, dan krijg je toch pas eind volgende maand je eerste salaris. Wat gaan we tot die tijd doen? Ik neem aan dat je niet je moeder om geld wilt vragen?"

"Absoluut niet," antwoordde ze meteen afwijzend. "Ik ga nog liever uit stelen."

"Nou, ik vrees dat er weinig anders opzit." Jordy stond op en inspecteerde de ijskast en de keukenkastjes. "Er is bijna niets meer in huis, alleen nog wat brood en een paar blikjes. Ik zie eerlijk gezegd nog maar één oplossing, hoe erg ik het ook vind om het je te vragen." Hij keek haar niet aan.

"Wat dan?" vroeg Nicole toonloos. "Heb je soms nog een vriendje wat voor me wil betalen?"

"Was het maar waar," verzuchtte Jordy. "Dat zou het simpelste zijn. Maar ik dacht wel in die richting, ja. Het klinkt cru, maar met jouw lichaam kun je ons uit de problemen halen. Ach, schat." Hij liep naar haar toe en trok haar tegen zich aan. "Ik wilde dat het niet nodig was, maar iets anders kan ik niet bedenken."

Nicole klampte zich aan hem vast. "Nee, niet weer," snikte ze. "Je kunt je niet voorstellen hoe erg het was met die Patrick."

"Patrick is een bekende, dat is heel iets anders dan een vreemde klant. Vergeet niet dat jij de macht in handen hebt. Die mannen willen iets wat jij kunt bieden. Zie het als een dienstverlening die toevallig goed wordt betaald."

"Je hebt geen idee waar je het over hebt," zei Nicole bitter. Ze maakte zich los uit zijn armen en ging op de bank zitten.

"Dus je wilt niet?" vroeg hij.

"Nee, natuurlijk niet!" viel ze uit. "Dit is niet zomaar iets, Jordy.

Je vraagt me om de hoer te spelen, zodat jij op je luie kont kunt blijven zitten. Moet ik daar dan ook nog uit afleiden dat je van me houdt?"

"Ik wilde het je nog niet vertellen omdat ik hoopte dat ik je ermee kon verrassen, maar ik heb afgelopen twee weken drie sollicitatiegesprekken gevoerd," zei Jordy. "Als ik een baan kan vinden neem ik die onmiddellijk aan om jou dit te besparen."

"Echt waar?" Ze keek verrast op, ontroerd omdat hij dit voor haar over had. Ze wist tenslotte hoe groot zijn aversie tegen de maatschappij was.

"Natuurlijk," verzekerde Jordy haar terwijl hij haar handen pakte. "Je weet niet half hoe zwaar het me valt om je dit te vragen, liefje, maar ik zie geen uitweg meer. Als je het niet doet, dan…" Hij stopte met praten en liet zijn hoofd moedeloos naar beneden hangen.

"Dan wat?" fluisterde Nicole.

"Dan moet je hier weg," kwam het antwoord waar ze al bang voor was. "Niet omdat ik niet van je houd, integendeel juist. Dan wil ik dat je teruggaat naar je moeder, zodat je niet hoeft te verhongeren. Ik wil jou niet meetrekken in mijn ellende. Ik hou te veel van je om je hier te houden onder deze omstandigheden." Hij gaf een kneepje in haar handen die hij nog steeds vasthield. "De keus is aan jou."

De tranen rolden over Nicole's wangen. Op dat moment haatte ze de overheid en alle regels van de maatschappij net zo erg als hij, omdat die hen hiertoe dwongen. "Ik wil je niet kwijt," huilde ze.

"Ik jou ook niet, maar als jij niet wilt kan ik je niet dwingen," zei Jordy vlak.

Nicole veegde de tranen van haar wangen en snoot haar neus. Ze vond het vreselijk, maar alles was beter dan weg moeten bij Jordy, haar plechtanker. De enige die echt van haar hield, iets wat hij bewezen had door ter wille van haar te solliciteren. Het minste wat zij nu kon doen was zorgen dat er brood op de plank kwam totdat ze allebei een normale baan hadden gevonden.

"Tijdelijk dan," bedong ze. "Zodra we werk hebben kap ik er meteen weer mee."

"Natuurlijk, liefje." Opgelucht omhelsde Jordy haar. "Je hoeft ook niet de hele nacht aan de bak te gaan. Zodra je genoeg hebt verdiend om boodschappen van te doen, stop je voor vandaag en pas als het weer nodig is ga je terug."

"Wat bedoel je?" vroeg Nicole met grote ogen.

"Naar de tippelzone," verduidelijkte Jordy. "Wat dacht je dan? De mannen komen echt niet hier naar toe, schat. Ach, lieverd, kijk niet zo moeilijk. Het zal heus wel meevallen. Denk maar aan Patrick, dat was ook zo voorbij. Die mannen komen daar alleen naar toe voor een snelle wip, meer niet. Makkelijker dan op deze manier zul je nooit je geld verdienen."

"Noem het maar makkelijk," zei Nicole bitter. "Het is het smerigste wat ik ooit gedaan heb en waarschijnlijk ooit zal doen."

"Je moet er natuurlijk wel een beetje voor open staan," verweet Jordy haar zacht. "Op deze manier jaag je de mannen alleen maar weg in plaats van dat je ze lokt."

"Ik wil ze helemaal niet lokken!" viel Nicole uit. "Ik krijg al rillingen bij het idee dat ze naar mij toe komen."

"In dat geval kun je er maar beter helemaal niet aan beginnen," zei Jordy strak. Hij liet haar los en stond op. "Jammer, Nicole, ik had iets anders gehoopt. Ik zal je missen."

Ze staarde hem ontzet aan, met alweer natte wangen. "Zo bedoelde ik het niet," zei ze haastig. "Natuurlijk ga ik wel. Het is alleen... Ik ben bang."

"Dat is nergens voor nodig. Ik ga natuurlijk met je mee en houd je vanaf een onopvallende plek in de gaten, zodat er niets met je kan gebeuren," stelde Jordy haar gerust. De boze frons tussen zijn wenkbrauwen was verdwenen en hij lachte weer, zag Nicole tot haar opluchting.

Snel doorzocht hij haar kleding, op zoek naar iets geschikts. Uiteindelijk overhandigde hij haar een minirok en een doorkijkblouse, kleding die ze normaal gesproken alleen droeg met een legging en een topje eronder. Willoos trok ze alles aan, daarna maakte ze zich volgens Jordy's aanwijzingen op.

Het gezicht dat haar even later vanuit de spiegel aankeek leek dat van een vreemde. De donker aangezette ogen en de felrode mond herkende ze bijna niet. Wellicht was dat maar beter ook. Als ze net deed of zij het niet zelf was die dit overkwam, was het misschien beter vol te houden.

HOOFDSTUK 14

Langzaam liep Nicole achter Jordy aan door de donkere stad, voortdurend de neiging bedwingend om hard weg te rennen en nooit meer terug te komen. Als ze een plek had gehad waar ze zich welkom wist, had ze dat waarschijnlijk gewoon gedaan. De tippelzone bleek aan de andere kant van het centrum te liggen, op slechts tien minuten loopafstand van Jordy's zolder, toch was Nicole daar nog nooit geweest.

Het oude industrieterrein waar oogluikend werd toegestaan dat vrouwen en jonge meisjes hun lichaam verkochten voor geld, zag er mistroostig uit. Slechts enkele straatlantaarns verlichtten het uitgestrekte terrein, zodat er spookachtige schaduwen ontstonden. Vrouwen van diverse leeftijden liepen verveeld heen en weer, wachtend op de klanten. Een aantal langzaam rijdende auto's met daarin mannen die bijna hun nek verrekten om de koopwaar goed te kunnen bekijken, reed over de toegangsweg tot het terrein.

Bang klampte Nicole zich aan Jordy vast.

"Ik durf niet," fluisterde ze.

"Je kunt nu niet meer terug. We moeten eten, Nicole. Op dit moment ben jij de enige die daarvoor kunt zorgen. Houd goed voor ogen dat het maar tijdelijk is. Zodra ik een baan vind ga ik voor jou zorgen, ik beloof het."

Die woorden trokken haar over de streep. Na nog een laatste zoen en een bemoedigend schouderklopje van Jordy liep ze aarzelend in de richting van een groepje vrouwen bij een straatlantaarn. Jordy trok zich terug in het donker om vanaf een afstandje toe te kijken. Hoewel hij weinig uit kon richten als zij bij een klant in de auto stapte, gaf het Nicole toch een veilig gevoel dat hij in de buurt was.

"Kijk, een nieuwe ster aan het firmament," spotte één van de vrouwen.

Nicole schatte haar in eerste instantie op een jaar of vijfentwintig, maar eenmaal in de lichtkring zag ze dat ze daar ver vanaf zat. Ze was minstens veertig. Haar ogen stonden hol en wanhopig in het, ondanks de zware make-up, bleke gezicht. Haar rood geverfde haren vertoonden uitgroei en de lak op de lange nagels zag er gebladderd en armoedig uit.

Nicole beet op haar onderlip. "Ik ben Nicole," zei ze schuchter.

"Verwacht je nu werkelijk dat we ons allemaal aan je voor gaan stellen?" informeerde dezelfde vrouw sarcastisch. "We staan hier niet voor de gezelligheid, hoor."

"Doe niet zo stom," verweet een andere vrouw haar. Ze was nauwelijks ouder dan Nicole, hooguit twee jaar. "We zitten allemaal in hetzelfde schuitje, hoor, we kunnen elkaar beter een beetje helpen."

De oudere vrouw snoof. "Ze kan er beter vandoor gaan nu het nog niet te laat is. Vertel eens, kind, hoeveel klanten heb je al gehad? Geen één? Dat dacht ik al. Ik zou dat ook maar zo houden als ik jou was. Als je eenmaal in de business verzeild raakt, kom je er niet snel meer uit."

"Jij bent gewoon bang voor de concurrentie," verweet de ander haar. Ze wendde zich tot Nicole en stak haar hand naar haar uit. "Ik heet Adrie en dit stuk chagrijn hier is Tineke. Trek je maar niets van haar aan, hoor. Ze zit al te lang in het vak en raakt afgestompt."

"Hoelang doe jij dit dan?" vroeg Nicole verlegen.

"Sinds een jaar," antwoordde Adrie. "Ik verdien hier het geld mee om mijn studie van te betalen. Niet ideaal, maar beter dan een lening van de staat die ik jarenlang af moet lossen. Zodra ik afgestudeerd ben stop ik ermee."

"Ja, vast," hoonde Tineke. "Dat heb ik vaker gehoord. Sterker nog, dat heb ik zelf ook altijd gezegd. Maar zo makkelijk gaat dat niet, meiden. Geen enkele baan levert op wat je hier verdient, bovendien word je nergens aangenomen als ze eenmaal weten wat je voor de kost gedaan hebt. Je hebt de rest van je leven een stempel." Ze keerde zich om en liep weg, regelrecht naar een zwarte wagen die langzaam aan kwam rijden.

Nicole zag dat ze door het geopende raampje een gesprek voerde met de bestuurder, instapte en wegreed. Ze gruwde van het idee dat zij dat straks ook moest doen.

Adrie begon te lachen toen ze iets in die richting zei. "Dat is alleen de eerste avond maar," zei ze. "Het went vanzelf. Zie het maar als een soort dienstverlening."

"Dat zei mijn vriend ook al, maar dat vind ik toch iets te simpel klinken."

Opmerkzaam keek Adrie haar aan. "Dwingt je vriend je hier toe?" wilde ze weten.

Haastig schudde Nicole haar hoofd. "Zo zit het niet. We hebben gewoon geld nodig. Voor mij is het ook maar tijdelijk, tot we beiden een baan hebben gevonden."

"Dat hoop ik dan voor je," wenste Adrie. Ze lonkte naar een auto, maar de chauffeur schudde zijn hoofd en reed verder, op zoek naar iemand die meer zijn type was.

Nicole's hart klopte wild in haar keel toen hij haar een lange blik toewierp en ze zuchtte van opluchting bij de ontdekking dat hij ook voor haar geen aanstalten maakte om te stoppen.

"Als je iets wilt verdienen zul je je toch anders op moeten stellen," zei Adrie nuchter. "Je bent echt een groentje, hè?"

Nicole knikte bedeesd. Vergeleken bij deze wereldwijze Adrie voelde ze zich een provinciaaltje, ondanks haar kleding en de fel aangezette make-up.

"Laat ik je alvast één tip geven: pas op voor vrouwen als Tineke," waarschuwde Adrie haar. "Vriendschappen zul je hier sowieso niet sluiten, als je dat soms dacht. Het is hier ieder voor zich. We proberen allemaal iets te verdienen, vaak ten koste van een ander. Laat je niet in een hoekje duwen door vrouwen met meer ervaring." Ze deed een stap de weg op, waar alweer een auto aan kwam rijden. Koket lachte ze naar de chauffeur, die stopte en zijn raampje omlaag deed.

"Jij bevalt me wel, mop," zei hij terwijl hij haar goedkeurend opnam. "Zin in een ritje?" Hij grijnsde dubbelzinnig bij die vraag.

"Met jou altijd, liefje," antwoordde Adrie met een knipoog. Ze liep om de auto heen en opende het portier aan de passagierskant.

"Zo doe je dat nou," riep ze nog tegen Nicole voor ze instapte.

Nicole bleef eenzaam achter terwijl ze de rode achterlichten van de auto nakeek. Ze huiverde en niet alleen vanwege de koude avondlucht. Het was goed te merken dat de winter in aantocht was. Overdag wilde het zonnetje nog weleens schijnen, maar 's avonds koelde het heel snel af. Het doorschijnende bloesje bood nauwelijks bescherming tegen de frisse wind. Om zich heen kijkend zag ze talloze vrouwen in dezelfde soort kleding. Ze vroeg zich af of zij nooit last van de kou hadden. Of zou dat ook wennen? Geen van de vrouwen maakte aanstalten om naar haar toe te komen, al werden er wel veel taxerende blikken op haar geworpen. Inschatten van de concurrentie, begreep Nicole. Hoe meer vrouwen, hoe dunner de spoeling werd.

Na een uur stond ze nog steeds op dezelfde plek. Alleen de wetenschap dat Jordy ergens achter haar toe stond te kijken hield haar tegen om hard weg te rennen. Op een gegeven moment had ze het zo koud dat ze zelfs begon te hopen dat ze opgepikt zou worden door een klant. Tot nu toe had ze nog weinig geluk gehad. Sommige auto's remden wel voor haar af, maar steeds was een andere, gehaaidere vrouw haar voor geweest en uiteindelijk met de klant vertrokken. Tineke had ze al twee keer terug zien komen en weer zien vertrekken, die had blijkbaar een goede avond. Nicole zou al blij zijn met één klant, zodat ze in ieder geval de volgende dag wat boodschappen kon doen.

Eindelijk stopte er dan toch een wagen voor haar. De chauffeur was een wat oudere, grijzende man, die haar wellustig bekeek.

"Stap in," gebood hij kort, maar niet onvriendelijk.

Nicole aarzelde een fractie van een seconde, wat door Tineke meteen gezien werd. Zij sprong voor de wagen en lachte naar de man.

"Hé schatje, je kunt beter voor mij kiezen. Ik draai al wat langer mee en weet precies wat je lekker vindt."

Dat bedoelde Adrie dus met haar waarschuwing, begreep Nicole. Ineens was ze het zat. Ze stond hier al zo lang zonder resultaat, deze kans liet ze zich niet ontglippen. Zonder pardon duwde ze Tineke opzij. "Als hij behoefte heeft aan iemand van jouw leeftijd gaat hij wel naar het bejaardentehuis," zei ze hard. "Hij wil mij, accepteer dat maar."

Ze stapte in de wagen en trok het portier met een klap dicht. Door het open raampje van de man naast haar hoorde ze Tineke luid vloeken. Adrie, aan de overkant, had het incident gezien. Ze lachte en stak haar duim tegen Nicole op.

"Zo, jij hebt er blijkbaar zin in," zei de man droog. "Een dergelijke houding bevalt me wel. Wij gaan het leuk hebben met elkaar, liefje."

Op dat moment drong pas goed tot Nicole door wat ze gedaan had en in welke situatie ze zich bevond. Nu kon ze onmogelijk meer terug. Het lange wachten in de kou had haar echter zo murw gemaakt dat ze dat eigenlijk ook niet meer wilde. Ze kon nu maar beter doorbijten, dan was het maar achter de rug. Ontkomen kon ze er toch niet meer aan. Met een droge mond zag ze hoe de man zijn wagen achter een oude fabriek parkeerde. Hier en daar stonden meer auto's, zag ze. Het was niet moeilijk te raden wat er zich binnen die besloten ruimtes afspeelde.

De man stelde zich niet voor, praten deed hij ook niet. Zonder plichtplegingen deed hij waar hij voor betaalde en Nicole liet het zonder tegenstribbelen gebeuren. Haar gevoel had ze uitgeschakeld, de enige manier om niet gek te worden. Binnen een halfuur werd ze weer afgezet op de plek waar hij haar opgepikt had en na een korte groet reed hij snel weg. Ze keek naar het geld in haar handen. Deze beproeving was in ieder geval niet voor niets geweest, hier konden ze weer een dag van eten. Het misselijke gevoel in haar maag negeerde ze.

Zoekend keek Nicole om zich heen naar Jordy, ze vond hem uiteindelijk in een portiek verderop.

"Goed gedaan," zei hij. "Ik begon al te wanhopen of je ooit nog een klant zou krijgen, maar je hebt die oude tang goed op haar nummer gezet."

"Kijk." Nicole overhandigde hem het geld.

"Genoeg voor een feestmaal," lachte hij. "Nog een paar van die klanten, dan zijn we even gered."

"Voor vandaag vind ik het wel genoeg," reageerde Nicole. "Ik heb het koud en wil naar huis."

"Dat zou heel onverstandig zijn, schat. Kijk, het wordt steeds drukker. Hoe meer klanten je vandaag krijgt, hoe minder vaak je hierheen hoeft te gaan. Je kunt beter nu even doorzetten."

Nicole aarzelde. Hij had wel gelijk, het werd inderdaad steeds drukker op het terrein. Tientallen auto's reden er rond, terwijl er nog maar enkele vrouwen stonden. Het zou op dit moment geen moeite kosten om een klant te krijgen. Het idee om meteen nog een keer met een man aan de gang te gaan, stond haar echter tegen.

"Je hebt je vuurdoop gehad, vanaf nu wordt het alleen maar makkelijker," zei Jordy alsof hij haar gedachten kon lezen. Hij gaf haar een lange, tedere zoen. "Het is gewoon werk, zo moet je het bekijken. De één maakt schoon, de ander pleziert mannen. Het laatste betaalt alleen wel een stuk beter. Je doet het prima, schat, ik ben trots op je."

Die laatste woorden deden Nicole besluiten terug het terrein op te gaan, zij het met tegenzin. In een mum van tijd stopte er weer een wagen voor haar en het hele ritueel van even daarvoor herhaalde zich. Drie kwartier later werd ze benaderd door klant nummer drie. Tegen die tijd was ze zo afgestompt dat het haar niet eens meer zoveel kon schelen. Hoe meer mannen, hoe beter. Dan hoefde ze de dag erna tenminste niet weer. Met wat ze nu verdiende konden ze wel even vooruit. Misschien wel totdat zij of Jordy een baan had gevonden, zodat dit een eenmalig iets zou zijn.

Het werd een lange nacht voor Nicole. Pas tegen de ochtend stopte de gestage stroom auto's en werd het langzaam stiller op het terrein. Dodelijk vermoeid liet ze zich door Jordy meevoeren naar huis. Hij had met een tevreden gezicht de opbrengst van die nacht in zijn zak gestopt. Een aanzienlijk bedrag, na de zeven klanten die voor Nicole waren gestopt. Ze had geen idee of dat veel of weinig was voor één nacht, ze wist alleen dat ze zich moe en smerig voelde. Het enige wat ze nog op kon brengen was het nemen van een lange douche, daarna dook ze klappertandend diep onder het dekbed, met het gevoel of ze nooit meer warm zou worden. Jordy was ontzettend lief voor haar, dat verzoende haar enigszins met de uren die achter haar lagen.

Ondanks haar moeheid duurde het lang voor ze in slaap viel. Iedere keer als ze haar ogen sloot zag ze de gezichten van de mannen voor zich aan wie ze zich verkocht had. Anonieme gezichten, sommige oud, ander jong, maar allemaal met een vooropgezet doel naar het industrieterrein gekomen. Voor hen was ze niets meer of minder dan koopwaar. Een lichaam waar ze tegen betaling bezit van konden nemen. Ze betekende niets voor hen. Een lichaam zonder ziel, zonder hersens en zonder mening, dat moest doen wat zij wilden. Daar hadden ze recht op, want ze betaalden er goed voor.

Uiteindelijk viel Nicole toch in slaap, maar toen ze laat in de middag wakker werd was ze nog steeds moe. Haar lichaam was beurs en haar hoofd voelde aan alsof het als een blok beton op haar nek rustte. De afgelopen nacht leek heel even een nachtmerrie, maar de realiteit drong zich bijna onmiddellijk aan haar op. Ze had het echt gedaan. Ze had haar lichaam verkocht, meerdere keren zelfs. Maar ze had geen keus gehad. Het was nodig geweest, meer dan nodig. In ieder geval was het niet voor niets geweest, troostte ze zichzelf terwijl ze weer een lange, hete douche nam in een poging de geur van die mannen van zich af te spoelen. Ze had genoeg verdiend om even voort te kunnen. Als ze nu heel snel een baantje vond, kon ze deze nacht achter zich laten en net doen of het niet gebeurd was.

Bij die gedachte sloeg ze geschrokken haar hand voor haar mond. Ineens herinnerde ze zich dat ze vandaag een sollicitatiegesprek had bij een warenhuis. Ze zochten een meisje voor de koopavond en de zaterdag voor op de boekenafdeling en nadat ze daar telefonisch op gereageerd had was ze uitgenodigd voor een gesprek. Hoe laat was dat ook alweer? Snel droogde Nicole zich af, trok een badjas aan en rende de trap op naar de zolder, waar haar agenda lag. Koortsachtig bladerde ze daarin tot ze de juiste bladzij gevonden had. Kwart voor twee, las ze. Een blik op de klok vertelde haar dat het inmiddels over halfvier was.

O nee! Ze sloot haar ogen en liet zich op de bank zakken. Wat stom! Waarom had Jordy haar niet wakker gemaakt? Hij was er niet, er lag een briefje van hem op tafel met de mededeling dat hij naar een vriend was.

'Rust lekker uit, dat heb je verdiend', had hij erop gezet.

Onwillekeurig moest ze toch glimlachen bij dat regeltje. Stom dat hij er ook niet aan gedacht had, maar lief dat hij zo zorgzaam voor haar was.

Na enige aarzeling pakte ze haar telefoon om het bewuste warenhuis te bellen. Met een beetje geluk tilden ze er niet zo zwaar aan en mocht ze haar gesprek verzetten.

De stem aan de andere kant van de lijn reageerde echter nogal koel op haar vraag.

"Het is niet onze gewoonte sollicitatiegesprekken te verzetten zonder dringende reden," zei de vrouw. "Mag ik weten waarom u niet op bent komen dagen?"

"Ik heb me in de dag vergist," verzon Nicole snel. "Ik dacht dat het gesprek morgen was. Toen ik daarnet in mijn agenda keek zag ik pas dat het voor vandaag gepland stond."

"Hm, dit getuigt niet van nauwkeurigheid, iets wat we wel van onze personeelsleden verwachten. Het spijt me, maar dan gaat het over. Wij moeten van onze mensen op aan kunnen en je hebt nu al bewezen dat dit bij jou niet kan. Hopelijk is dit een les voor de volgende keer. Goedemiddag."

Met tranen in haar ogen verbrak Nicole de verbinding. Trut, schold ze in zichzelf. Dat mens had haar toch minstens nog een kans kunnen geven? Het was al zo moeilijk om iets te vinden, de kranten stonden niet bepaald bol van de personeelsadvertenties waarin een bijna zeventienjarige zonder ervaring gevraagd werd.

Landerig smeerde ze een boterham voor zichzelf. Het brood was oud, constateerde ze na de eerste hap. Het smaakte nergens meer naar. Kwaad gooide ze het in de prullenbak. Er moesten nodig boodschappen worden gehaald, maar ze was bang dat Jordy het geld nog in zijn zak had zitten. Ze doorzocht de kamer, maar kon inderdaad nergens iets vinden. Zijn telefoon nam hij niet op, dus er zat niets anders op dan te wachten tot hij thuis zou komen. Ze stilde haar honger met wat oudbakken kaakjes, die ook niet echt smakelijk meer waren.

Jordy kwam pas tegen tienen thuis die avond. Hij stond niet al te vast meer op zijn benen en verspreidde een drankadem waar Nicole misselijk van werd.

"Waar heb jij de hele dag gezeten?" schreeuwde ze kwaad. "En waarom neem je je telefoon niet op? Ik heb je drie keer gebeld."

"Bij Patrick," zei hij loom.

"Vind je dat normaal?" tierde ze verder. "Ik zit hier te verrekken van de honger, jij hebt al het geld nog in je zak. Dit vind ik echt geen stijl, Jordy!"

"Niet zeuren, liefje. Ik had een sollicitatiegesprek wat heel goed verliep. Om dat te vieren ben ik even bij Patrick langs gegaan en dat is uit de hand gelopen. Sorry."

"Op je briefje stond dat je naar een vriend was," hielp Nicole hem herinneren.

Hij mompelde iets wat ze niet verstond en wankelde naar het bed, waar hij zich zwaar op liet vallen. Bijna meteen begon hij zwaar te snurken.

Die boodschappen kon ze dus wel vergeten, dacht Nicole cynisch. De supermarkt sloot om tien uur 's avonds en een avondwinkel was er niet in de buurt. Zonder dat hij er wakker van werd voelde ze in zijn broekzakken om geld te pakken. Het zou haar morgen niet weer gebeuren dat ze niets te eten had. Veel resultaat had ze echter niet met haar zoektocht. Verbijsterd staarde ze naar het briefje van twintig euro en het beetje losgeld dat ze tevoorschijn haalde. Was dit alles nog maar wat er over was? Ze had vannacht meer dan tien keer zoveel verdiend als dit! Waar was dat allemaal gebleven? Nog een keer struinde ze zijn zakken door, in de hoop dat ze er eentje overgeslagen had. Ze vond echter niets meer. Jordy sloeg in zijn slaap om zich heen.

"Laat me met rust," mompelde hij.

Verslagen ging Nicole op de bank zitten. Dit betekende dat ze vanavond, of op zijn laatst morgenavond, weer naar die tippel-zone moest, want een andere mogelijkheid om aan geld te komen was er niet meteen. Of misschien had Jordy het geld even uitgeleend en zou hij het morgen terug krijgen, hoopte ze. Ze keek naar hem zoals hij met al zijn kleren aan op het bed lag te ronken. Nee, vast niet.

Al haar hoop op een normaal leven begon langzaam maar zeker weg te ebben.

HOOFDSTUK 15

Met een maag die knorde van de honger probeerde Nicole die nacht een paar uur te slapen. Ze voelde zich zo slap en eng dat ze de moed niet kon vinden om meteen weer terug te gaan naar het industrieterrein, al realiseerde ze zich dat ze daar niet te lang mee kon wachten als ze wilden eten. Op dat moment had ze echter het gevoel dat ze zo om kon vallen als ze op haar benen stond. Ze was de dag erna al vroeg wakker. Nadat ze zich had gewassen en aangekleed, was haar eerste gang naar de supermarkt. Ze stond er al nog voordat de winkel openging, ongeduldig met haar voet op de grond tikkend. Van de twintig euro die nog over was haalde ze brood, beleg, crackers, melk, wat fruit, hamburgers en een rauwkostsalade, toen was het op. In ieder geval hadden ze vandaag te eten.

Terug op de zolder kwam Jordy net zijn bed uit. Hij rekte zich uit en geeuwde.

"Ik voel me geradbraakt," mopperde hij.

"Mooi," reageerde Nicole koeltjes. "Je kunt je niet rot genoeg voelen wat mij betreft. Ik hoop dat je flink hoofdpijn hebt."

"Wat heb jij nou ineens?" Hij wilde haar vastpakken, maar Nicole trok zich los en begon de boodschappen uit te pakken. "Hé schatje, wat is er nou?"

"Ik ben je schatje niet als jij je zo gedraagt," zei ze kortaf. "Wat je gisteravond geflikt hebt, gaat echt te ver, Jordy. Ik had geen idee waar je was, er was niets te eten in huis en je had geen cent achtergelaten zodat ik wat kon halen. Bovendien was je ook nog eens hartstikke dronken toen je thuiskwam."

"Het spijt me. Het liep uit de hand, dat zei ik al. Dat was niet mijn bedoeling." Hij stond achter haar en sloeg opnieuw zijn armen om haar heen. Nijdig sloeg Nicole zijn handen weg. Ze was niet in de stemming voor liefkozingen.

"Waar is mijn geld gebleven?" vroeg ze op hoge toon. "Het enige wat ik nog in je zakken vond was twintig euro."

"Heb jij in mijn zakken zitten graaien?" Zijn stem klonk kwaad. Met woeste gebaren voelde hij zijn zakken na, om tot de ontdekking te komen dat er inderdaad niets meer in zat. Hij vloekte hardop.

"Ik vroeg je wat," zei Nicole koel.

"Zeik niet. Je lijkt mijn moeder wel." Bruusk draaide hij zich om, maar voor hij de kamer kon verlaten sprong Nicole voor de deur.

"Dat was mijn geld, Jordy. Ik heb het niet bepaald cadeau gekregen, weet je nog?"

"Jouw geld?" Hij lachte sarcastisch. "Dat zeg ik ook niet als ik de huur van deze zolder betaal, waar jij voor niets woont. Trouwens, waar zeur je over? Eén avondje en je hebt weer nieuw verdiend, zoveel moeite hoef je er niet voor te doen."

"Ik ben niet van plan de hoer te spelen zodat jij je iedere avond laveloos kunt zuipen." Haar ogen stonden hard en vastberaden in haar witte gezicht, iets wat Jordy niet ontging. Hij liet zijn boze houding varen, ging op de bank zitten en sloeg zijn handen voor zijn gezicht. Een droge snik welde op in zijn keel.

"Het spijt me. Ik voelde me verschrikkelijk beroerd gisteren vanwege alles wat ik je heb aangedaan. Het is mijn schuld dat jij... Ik vind het vreselijk dat je dit moet doen. Een paar biertjes verzachtten die pijn, toen kon ik niet meer stoppen. Het verdoofde me en op dat moment vond ik dat alleen maar prettig."

Nicole's woede verdween bij deze openhartige bekentenis. "Het is jouw schuld niet," zei ze zacht terwijl ze naast hem ging zitten. "Jij hebt ook niet om deze situatie gevraagd en je doet net zo hard je best als ik om hier weer uit te komen."

"Als ik eerder was gaan werken was het niet nodig geweest."

"Het zal in de toekomst ook niet meer nodig zijn. Als we allebei onze schouders eronder zetten moet het lukken om iets te vinden en dan kunnen we deze periode achter ons laten. Misschien kunnen we dan wel ergens een leuk huisje huren en helemaal opnieuw beginnen," hoopte Nicole.

Jordy's armen klemden zich om haar heen. "Jij bent zo sterk. Laat me nooit in de steek, Nicole."

"Nooit," bezwoer ze. Ze streelde door zijn haren en zoende hem. "Samen komen we hier wel uit, als jij me maar helpt. Ik kan het niet alleen, Jordy."

"Ik zal minder drinken," beloofde hij meteen.

Blij met deze belofte kroop Nicole dicht tegen hem aan. Op dat moment had ze echt weer goede hoop voor de toekomst. Het zou niet makkelijk worden, dat wist ze, maar ooit zou het moment aanbreken dat ze deze ellende achter zich konden laten.

Die gedachte hield ze voor ogen toen ze die avond opnieuw het industrieterrein betrad en herhaalde ze steeds als een mantra tijdens de uren met haar klanten. Zo kwam ze de nacht door en de vele nachten die daar nog op volgden.

De winter verstreek en ging langzaam over in de lente en nog steeds veranderde er niets aan hun situatie. Jordy bleef optimistisch beweren dat zijn sollicitatiegesprekken goed verliepen, toch was hij nog steeds nergens aangenomen. Nicole had inmiddels de moed al opgegeven om een normale baan te vinden. Eén keer lukte het haar om werk te vinden bij een schoonmaakkantoor, maar dat werk was zo zwaar en geestdodend dat ze het niet volhield, zeker niet toen ze aan het einde van haar eerste maand haar loonstrookje zag. Moedeloos staarde ze naar de kille cijfers. Dit bedrag verdiende ze achter het industrieterrein in twee nachten, ze leek wel gek dat ze daarvoor ging sloven. De beslissing om die baan weer op te zeggen was dan ook niet zo moeilijk.

Haar zeventiende verjaardag ging ongemerkt voorbij. Het viel op een zaterdag, dus 'vierde' ze het met haar klanten in plaats van gezellig met Jordy thuis, die er overigens niet aan gedacht had. Het kostte steeds meer moeite om positief te blijven en hoop te houden. Vaak leek de toekomst een diep, zwart gat waar ze nooit meer uit kon klimmen. Een uitweg zag Nicole niet. Hoezeer dit leven haar ook tegen begon te staan, er was geen weg meer terug.

Na weer een lange nacht opende Nicole loom haar ogen. Jordy trok net zijn jas aan.

"Waar ga je heen?" vroeg ze.

Hij leek te schrikken van haar stem, die onverwachts opklonk.

"Sollicitatiegesprek," antwoordde hij.

"Alweer?" Ze zuchtte diep en kwam overeind. "Het is te hopen dat het eens een keer wat oplevert. Met al die gesprekken die je voert heb je niet eens tijd om te werken. De hoeveelste is dit sinds de laatste drie maanden?"

"Deze keer heb ik echt goede hoop." Hij ging op de rand van het bed zitten en pakte haar handen vast. "Het wordt mijn derde gesprek bij dit bedrijf, dus de kans dat ik hier word aangenomen is heel groot. Weet je wat?" Hij pakte zijn portemonnee uit zijn zak en gaf Nicole een briefje van vijftig euro. "Ga jij iets leuks kopen voor jezelf, om alvast de goede afloop te vieren. Ik ga nu weg, tot vanmiddag."

"Succes," riep Nicole hem na.

Ze keek naar het bankbiljet in haar handen. Geld dat ze zelf verdiend had afgelopen nacht, maar wat altijd rechtstreeks in Jordy's zak verdween en waar ze bijna nooit wat van terugzag, behalve dan om boodschappen van te doen. Hij zette het op een bankrekening om te sparen voor later. Ze gaven bijna nooit iets extra's uit. Wat zou ze hier eens mee doen? Kleren kopen? Tekenspullen? Maar ach, wat had ze aan tekenspullen als ze haar foto's niet uit kon printen? De laatste keer dat ze foto's had gemaakt was trouwens ook al eeuwen geleden. Ze kon haar make-up voorraad wat aanvullen van dit geld, dat was wel weer eens nodig. Vlak bij de straat waar ze woonden zat een drogist, maar Nicole wist in het centrum een zaakje waar ze veel goedkoper waren, dus besloot ze daarheen te gaan.

Onderweg kreeg ze ineens het idee om gebak te halen. Het water liep haar al in de mond bij het vooruitzicht. Ze had al zo lang niet meer iets echt lekkers gegeten. Hun culinaire uitspattingen beperkten zich tot de shoarmatent, de snackbar van Harry en droge kaakjes bij de koffie. Make-up was zo duur niet, er bleef zat over om wat lekkers van te kopen. Als Jordy inderdaad aangenomen werd vandaag hadden ze tenslotte iets te vieren en zo niet, dan kon het als troost dienen. Smaken zou het toch wel, ongeacht de uitkomst van zijn gesprek.

In een achterafstraatje zat een banketbakkerij die er aan de buitenkant niet bepaald uitnodigend uitzag, maar waar ze heerlijke spullen verkochten. Nadat Nicole de nodige make-up spulletjes had gekocht richtte ze haar schreden die kant op. Voor zichzelf zou ze een saucijzenbroodje meenemen, besloot ze bij voorbaat.

Om een stuk af te snijden liep ze door de straat waar de coffeeshop van Patrick gevestigd was. Onwillekeurig keek ze tijdens het langslopen door het brede raam naar binnen. Ze hield haar schreden in bij het zien van de persoon die aan de bar zat. Jordy. Haar hersens registreerden dit feit wel, toch duurde het even voor haar geest het zich ook realiseerde. Hoe kon Jordy nu in de coffeeshop zijn? Hij had een sollicitatiegesprek. Ze was de coffeeshop al voorbij voor het echt goed tot haar doordrong.

Aarzelend bleef ze staan, toen keerde ze resoluut om en ging naar binnen. Het was niet druk in de zaak. Slechts enkele mensen zaten aan een tafeltje te roken. Jordy was de enige die aan de bar zat. Patrick was daarachter, met zijn rug naar de deur toe, druk bezig met opruimen.

"Dat heb je toch mooi voor elkaar," hoorde Nicole hem zeggen. "Geef mij ook zo'n griet."

"Nicole is een goudmijntje," zei Jordy daarop tevreden. "Zolang zij op deze manier zorgt voor brood op de plank, hoef ik me nergens druk om te maken. Ze verdient in een weekend meer dan ik aan uitkering voor een hele maand krijg."

Als versteend bleef Nicole achter hem staan. Ze wilde hem net op zijn schouder tikken, maar haar hand bleef halverwege deze handeling dwaas in de lucht hangen.

"Nu maar hopen dat ze er geen genoeg van krijgt," grinnikte Patrick.

"Ze zeurt weleens, maar tot nu toe heb ik haar steeds weer zover gekregen. Die meid doet alles voor me, ik wind haar om mijn vinger," zei Jordy arrogant.

Nicole kon haar oren niet geloven. Was dit haar liefhebbende, zorgzame Jordy? De man die van haar hield en waar ze alles voor over had, tot zelfs het verkopen van haar lichaam aan toe? Haar hart versteende in haar borstkas.

"Tot nu toe dan," riep ze hard door de zaak heen.

Jordy draaide zich met een ruk om, evenals Patrick.

"Nicole, wat doe jij hier?" vroeg Jordy geschrokken.

"Dat kan ik beter aan jou vragen," antwoordde ze kil. "Een sollicitatiegesprek, zei je toch? Ga me niet vertellen dat je in deze smerige tent wilt gaan werken."

"Ik kan het uitleggen." Hij sprong van zijn barkruk af en liep naar haar toe.

"Laat maar, ik heb genoeg gehoord." Afwerend strekte ze haar armen uit, zodat hij niet te dichtbij kon komen. "Houd je smoesjes alsjeblieft voor je."

"Laten we naar huis gaan en erover praten."

"Er valt niet veel meer te zeggen, lijkt mij."

"O jawel." Hij pakte haar zonder meer bij haar arm en trok haar mee naar buiten. "Het spijt me dat je dit moest horen," zei hij daar.

Nicole trok met haar schouders. "De woorden 'het spijt me' heb ik iets teveel gehoord," zei ze scherp. Ze was zo ontdaan dat ze op dat moment niet eens kwaad was, alleen maar verbijsterd. Het kleine beetje veiligheid dat ze nog had in haar leven was in één klap weggevallen. De consequenties daarvan kon ze niet eens overzien.

Zonder nog iets te zeggen voerde Jordy haar mee door de druk bevolkte winkelstraten. Zijn hand lag als een bankschroef om haar bovenarm heen. Als verdoofd liep Nicole naast hem mee, ze had trouwens geen andere keus. Hij bood haar geen enkele kans tot ontsnappen.

Pas op hun zolderkamer liet hij haar los. Afwezig streek Nicole over haar arm heen, waar de blauwe afdruk van zijn vingers al zichtbaar werd.

"Ik had inderdaad geen sollicitatiegesprek," zei Jordy. "Al weken ben ik niet opgeroepen voor een gesprek, ik krijg de ene afwijzing na de andere. Niemand wil me hebben."

"Dus lieg je erover."

"Ik kon het je niet zeggen. We hebben zoveel plannen voor de toekomst gemaakt, die kon ik niet van je afnemen." Hij lachte bitter. "Ik ben een vriend van niks, dat weet ik. Ik ben je niet waard, Nicole. Jij verdient beter."

Nicole keek naar zijn gezicht. Voor het eerst geloofde ze hem niet. Normaal gesproken zou ze hem onmiddellijk in haar armen nemen om hem te troosten en hem bemoedigend toe te spreken. Nu staarde ze alleen maar, met een hart dat nog nooit eerder zo koud had aangevoeld. Eindelijk vielen de schellen van haar ogen af en zag ze Jordy zoals hij werkelijk was. Lui, egoïstisch, oppervlakkig en een klaploper eerste klas.

"Je liegt weer," zei ze hard. "Je bent nooit van plan geweest om een baan te zoeken. Dat zei je alleen maar om me over te halen en me zoet te houden. Je vindt het wel makkelijk dat ik op deze manier het geld binnenbreng, zodat jij je dagen kan vullen met zuipen en blowen. Hoe ik me eronder voel interesseert je niets. Je beschouwt me alleen maar als een wandelende geldautomaat. Een goudmijn, dat heb ik je zelf horen zeggen."

Zijn ogen vernauwden zich, waardoor zijn gezicht ineens een sluwe uitdrukking kreeg. "En wat dan nog?" vroeg hij koud. "Jij woont hier gratis, zo vreemd is het niet dat je iets terugdoet."

"Van wat ik verdien zou ik in een riante villa kunnen wonen in plaats van in dit krot," hoonde Nicole. "Waar is al dat geld gebleven?"

Jordy maakte een vaag gebaar met zijn hand. "Dat zijn jouw zaken niet."

"Het is mijn geld, ik heb er recht op en ik wil het hebben," hield Nicole vol. "Ik kap er namelijk mee. Je zult een ander moeten zoeken om in jouw levensonderhoud te voorzien. Ik kan niet geloven dat ik zo stom ben geweest om daar in te trappen."

"O ja? En waar ben je dan van plan heen te gaan?" informeerde hij sarcastisch. Er verscheen een gemene grijns op zijn gezicht. Nicole beet op haar onderlip en zweeg. Daar had hij een punt. Ze had geen plek waar ze terecht kon. Nergens. Bij haar moeder hoefde ze echt niet met hangende pootjes terug te komen. Ze was al een jaar weg, die zou haar zien aankomen. Misschien woonde ze niet eens meer in het oude huis. De kans dat ze ergens met een man samenwoonde was helemaal niet denkbeeldig en daar had ze haar, Nicole, echt niet bij nodig. Als Paula haar de deur wees, en die kans was best groot, was ze dakloos.

"Dat dacht ik wel," zei hij triomfantelijk. "Jij kunt nergens heen, liefje. Je hebt geen andere keus dan gewoon voor mij te blijven werken."

"Ik kan naar de politie gaan," blufte ze.

"Dat dacht ik toch niet." Er verscheen een grimmige trek op Jordy's gezicht en hij deed dreigend een stap naar voren. Met zijn rechterhand pakte hij haar kin vast en hij bracht zijn gezicht vlak bij het hare. "Als je gezondheid je lief is, blijf je daar ver vandaan."

"Hou op, je doet me pijn!" Nicole probeerde zich los te rukken, maar zijn vingers boorden zich in haar vlees.

"Deze pijn is niets vergeleken bij wat je te wachten staat als je mij aangeeft," zei hij gevaarlijk kalm.

Ze kon aan hem zien dat hij het meende. Voor het eerst was ze bang voor hem. Met een verachtelijk gebaar liet hij haar los.

"Als je gewoon doet wat ik zeg is er niets aan de hand. Dan heb je een dak boven je hoofd en behoorlijk te eten. Zo niet..." Hij maakte zijn zin niet af, maar meer woorden had Nicole niet nodig om hem te begrijpen. "Hebben we elkaar goed begrepen?" vroeg hij dwingend.

Ze knikte dociel, niet meer in staat om nog iets te zeggen.

Die morgen was haar leven niet ideaal geweest, maar wel een heel stuk beter dan nu het geval was. Vanmorgen had ze in ieder geval nog dromen gehad, nu was er alleen de kille realiteit dat ze in de val zat en geen mogelijkheid zag daaruit te ontsnappen. Ze was aan alle kanten ingesloten, besefte ze. De weg terug was afgesneden, de weg voor haar zag er bijzonder dreigend en donker uit.

Huilend lag ze even later op bed. Jordy was weer weggegaan, er vast van overtuigd dat ze toch niet weg durfde te lopen. En daar had hij gelijk in. Nicole was zo bang nu hij zijn ware gezicht had laten zien dat het niet eens in haar opkwam om er vandoor te gaan, nog buiten het feit dat er geen plek was waar ze heen kon. Voor het eerst sinds ze van huis was weggelopen miste ze haar moeder. Paula was weliswaar niet de meest hartelijke en zorgzame moeder ter wereld, maar ze was thuis wel veilig geweest. Waarom besefte ze dat nu pas, nu het te laat was? Op dat moment zou ze er heel wat voor over hebben om gewoon in haar ouderlijk huis te zijn, ook al was het met een moeder die haar veel alleen liet en die weinig belangstelling voor haar toonde. Maar het kon niet meer. Jordy wist haar adres, zelfs als ze de moed bij elkaar kon rapen om weg te gaan en Paula haar weer thuis liet wonen, dan zou ze nog voortdurend in angst leven voor de gevolgen van die stap. Ze was bang dat hij niet zomaar wat gedreigd had, maar dat hij het werkelijk meende. Tenslotte zou hij zich zijn goudmijn niet zomaar af laten nemen.

HOOFDSTUK 16

Victor maakte een gebaar naar de barman. "Twee bier graag."

"Voor mij cola," zei Arend haastig terwijl hij aan het tafeltje schoof waar Victor al zat. "Ik ga de nachtdienst in, dus alcohol is taboe."

"Ook goed." Victor veranderde de bestelling. "Word je dat nooit zat, die wisselende diensten? Het zou niets voor mij zijn."

"Het houdt variatie in mijn leven," grijnsde Arend.

"Heb ik niet nodig. Ik heb Paula." Victor staarde somber in zijn glas.

Arend knikte. "Ik dacht al dat je niet zomaar iets met me wilde gaan drinken. Wat is er loos, broertje? Gaat het niet goed tussen jullie?"

"Niet echt," gaf Victor toe. "Paula is een knappe, charmante vrouw en ik dacht echt dat ik van haar hield, maar…"

"Maar die liefde is nu tanende," begreep Arend.

Victor zuchtte. "Laat ik zeggen dat onze relatie me niet heeft gebracht wat ik ervan verwacht had. Het is allemaal zo oppervlakkig. Leuk, gezellig, maar zonder inhoud."

"Een huwelijk zit er dus nog niet aan te komen."

"Bewaar me, nee."

"Waarom maak je er eigenlijk geen eind aan als je er zo over denkt?" wilde Arend weten. "Het is niets voor jou om een vrouw aan het lijntje te houden. Je bent niet voor niets zo lang vrijgezel geweest."

"Paula is eenzaam," zei Victor langzaam terwijl hij zijn bierglas heen en weer draaide in zijn handen. "Ik kan haar niet zomaar plompverloren in de steek laten."

"Bij haar blijven als je niets meer voor haar voelt is ook niet eerlijk. Niet naar haar toe, maar ook niet naar jezelf."

"Een relatie beginnen is makkelijker dan hem beëindigen, dat weet ik wel. Ik ben een paar keer een gesprek in die richting begonnen, maar ze geeft me de kans niet. Het klinkt vreemd, daar ben ik me van bewust, maar het is echt zo. Ze begint dan snel over iets anders. Meestal over Nicole, dat ze haar zo mist. Zeg op zo'n moment maar eens dat je het niet meer ziet zitten."

"Emotionele chantage," vatte Arend dat samen. "Heb je haar al eens geconfronteerd met het feit dat Nicole niet in het dossier vermiste personen staat?"

Victor antwoordde daar ontkennend op. "Hoe moet je zoiets nou brengen?" verdedigde hij zichzelf bij het zien van de frons tussen Arends wenkbrauwen.

"Gewoon. Nicole staat niet in het dossier vermiste personen," spelde Arend hem voor.

"Dan is het net of ik haar niet vertrouw."

"Doe je dat wel dan?"

Weer zuchtte Victor. "Ik weet het niet," zei hij eerlijk. "Het is geen makkelijk gespreksonderwerp om even op tafel te gooien. Als ik het mis heb, kwets ik haar enorm."

"Dat wil je blijkbaar niet. Weet je wel heel zeker dat je een punt achter jullie relatie wilt zetten?" vroeg Arend rechtstreeks. "Als ik jou zo hoor ben je nog behoorlijk aan het twijfelen."

"Dat is ook zo. Toen ik Paula ontmoette werd ik op slag verliefd op haar. Ik vraag me af of dergelijke gevoelens zomaar kunnen verdwijnen. Zoals je weet ben ik nooit een man van vele vriendinnetjes geweest. In de liefde ben ik altijd heel zorgvuldig, daarom wil ik geen overhaaste beslissingen nemen."

"Hm. Je komt op mij anders niet over als een dolverliefde gelukkige man," bromde Arend. "Volgens mij klamp jij je vast aan je eerdere verliefdheid, terwijl die allang de deur uitgevlogen is. Je wilt gewoon niet toegeven dat je een fout hebt gemaakt door met haar samen te gaan wonen. Hebben jullie nooit meer iets van die Nicole gehoord?"

"Nee."

"Lijdt Paula daar erg onder?"

"Soms wel, vaker heb ik echter de indruk van niet," zei Victor voorzichtig. "Vooral op momenten dat het haar uitkomt, denk ik. Het is geen prettige gedachte, maar ik kan hem niet altijd onderdrukken."

"Soms moet je gewoon op je gevoel afgaan, ook al valt dat niet altijd mee," wist Arend. "Je gevoel vertelt je namelijk niet altijd wat je verstand wil horen."

"Man, wat ben jij filosofisch aangelegd," spotte Victor. "Je bent je roeping misgelopen."

"In mijn vak kan ik anders genoeg van mijn psychologische gaven kwijt. Over mijn vak gesproken…" Hij schoof zijn stoel naar achteren en stond op. "Ik moet er vandoor, de plicht roept."

"Prettige dienst," wenste Victor hem. "Heb je veel te doen?"

"Ik begin met een rondje over dat oude industrieterrein," vertelde Arend.

"De tippelzone," wist Victor.

Arend grijnsde. "Je bent goed op de hoogte."

"Dat is een publiek geheim. Jij komt er vaker dan ik," gaf Victor ad rem terug.

"Beroepsmatig, vergeet dat nooit. We surveilleren daar vaker in burger, gewoon om te kijken of er geen rottigheid gebeurt."

Voor de deur van het café namen de twee broers afscheid van elkaar. Langzaam sloeg Victor de weg naar huis in. Paula's huis, zoals hij het in gedachten nog steeds noemde. In de tijd dat hij er nu woonde was het nooit eigen geworden, hoezeer hij daar ook zijn best voor gedaan had. Hij had helemaal geen zin om daarheen te gaan, een veeg teken.

Vertwijfeld vroeg hij zich af of het inderdaad geen tijd werd om de knoop definitief door te hakken. Hij vond dat moeilijk. Het was zijn stijl niet om er vandoor te gaan als dingen niet liepen zoals hij verwacht had. Hij vocht liever voor zijn geluk, hoewel hij de laatste tijd vaak het gevoel kreeg dat hij een verloren strijd aan het voeren was.

Arend was inmiddels in zijn auto gestapt en stuurde de richting van het oude industrieterrein op. De tippelzone was niet officieel erkend, maar werd slechts gedoogd. Hij reed daar vaker een paar rondjes voor hij aan zijn dienst begon. Veel prostituees kenden hem al, hij hoorde regelmatig dat ze het een veilig idee vonden dat hij de boel een beetje in de gaten hield.

Het was er niet druk op dat moment. Slechts enkele auto's reden rond en hier en daar stonden wat vrouwen naar de chauffeurs te lonken. Het was ook nog vroeg, zag hij met een blik op zijn horloge. Vroeger dan hij verwacht had, hij had eigenlijk nog wel wat langer met Victor kunnen praten. Het was nog niet eens donker. Dankzij dat laatste feit kon hij de vrouwen die langs de kant van de weg stonden goed zien. Zijn blik werd getrokken naar een eenzaam uitziend figuurtje. Een meisje nog, merkte hij op. Wat deed zo'n jong kind hier? Het zou je dochter maar zijn. Terwijl hij haar voorbij reed keek hij haar opmerkzaam aan en ineens stokte zijn adem. Hij kende dat gezicht! Met zijn fotografische geheugen kostte het hem weinig moeite om te weten wie ze was. Ze zag er ouder en vermoeider uit dan op de foto die hij gezien had, maar dit was onmiskenbaar Nicole, die dochter van Paula. Snel reed Arend nog een rondje, bedenkend wat hij het beste kon doen. Hij kon haar aanspreken en proberen wat meer te weten te komen van haar, maar dan liep hij de kans dat de andere meisjes haar inlichtten over het feit dat hij rechercheur was. Dan kwam ze hier misschien niet meer terug en was hij haar weer kwijt. Tenslotte was ze nog minderjarig en als ze door een vriend gedwongen werd dit werk te doen zou ze waarschijnlijk te angstig zijn om tegen hem te praten. Hij moest dit in ieder geval voorzichtig aanpakken, al zou hij Nicole het liefst in zijn auto zetten om haar hier weg te halen.

Hij zag dat een aantal vrouwen die hij kende werden opgepikt, waardoor het terrein er grotendeels verlaten bij lag en besloot daarop toch de gok te wagen en haar aan te spreken. Hij parkeerde zijn wagen en liep zo nonchalant mogelijk naar haar toe.

"Jij bent nieuw hier," opende hij een gesprek.

"Dat valt wel mee, ik kom hier al een aantal maanden," zei Nicole behoedzaam. Dit had ze nog niet eerder meegemaakt, een man die een praatje maakte. Zomaar weglopen wilde ze echter ook niet. Ze had nog niets verdiend vanavond, ze wilde een mogelijke klant niet zomaar laten schieten.

"Ik ben Arend. Mag ik weten hoe jij heet?" vroeg hij nonchalant.

"Nicole."

Hij knikte. Hij had dus gelijk, waar hij overigens geen seconde aan getwijfeld had. Dit meisje was in ieder geval nog niet zo door de wol geverfd dat ze een andere naam noemde.

"Valt niet mee, hè, dit werk," zei hij langs zijn neus weg. "Veel meisjes worden ertoe gedwongen, zeker als ze nog zo jong zijn als jij. Dit is maar zelden een bewuste keus."

Schuw keek ze hem even aan, daarna wendde ze snel haar hoofd af. "Ik doe dit vrijwillig," zei ze stug.

Arend had echter de angstige blik in haar ogen gezien en dacht er het zijne van. Er stak meer achter, dat was wel duidelijk.

Op een ontspannen manier, maar met de technieken die hij ook gebruikte als hij verdachten verhoorde wist hij haar uit te horen. Binnen een kwartier had hij de naam van Jordy aan haar ontfutseld, plus het adres waar ze woonden. Onbevangen vertelde Nicole hem, via een omweg, precies wat hij wilde weten. Met die informatie in zijn hoofd nam hij even later afscheid van haar. Nicole staarde hem fronsend na. Vreemde man. Ze vroeg zich af wat hij hier deed als het hem niet om een vrouw te doen was. De mannen die hier kwamen pikten iemand op en wisten vervolgens niet hoe snel ze daarna weer moesten vertrekken. Niemand wilde hier gezien worden, wat deze Arend niet leek te kunnen schelen. Omdat een klant haar aandacht opeiste dacht ze er verder niet meer over na.

Arend reed direct door naar het politiebureau. Voordat zijn dienst begon wilde hij zoveel mogelijk informatie over die Jordy te pakken krijgen. Zijn onderzoek leverde niet veel op. Jordy was niet bekend bij de politie. Hij had geen strafblad, waar Arend de voorzichtige conclusie uit trok dat hij geen zware crimineel was die in meisjes handelde, al kon hij dat natuurlijk niet met zekerheid zeggen. Uit wat hij te weten kwam vermoedde hij dat het niet zoveel moeite zou kosten om deze Jordy onder druk te zetten. Meteen belde hij Victor om hem van zijn bevindingen op de hoogte te stellen.

"Dat meen je niet!" reageerde die geschrokken. "Dat arme kind. Hoe komt ze tot zoiets?"

"Ik vermoed dat die vriend erachter steekt," zei Arend. "Ze zei van niet, maar daar prik ik meestal wel doorheen."

"En nu? Ga je hem oppakken?" wilde Victor weten.

"Daar is in principe geen aanleiding voor. Er loopt geen aanklacht tegen hem en hij wordt nergens van verdacht. Maar een goed gesprek met die jongen kan natuurlijk geen kwaad."

"Als rechercheur, bedoel je?"

"Officieus, wat hij uiteraard niet hoeft te weten. Ik denk dat wij hem samen maar eens met een bezoekje moeten vereren, kijken hoe dat uitpakt. Morgen ben ik vrij. Als we dan eerst langs dat industrieterrein rijden om te kijken of Nicole daar is, dan kunnen we die jongeman eens stevig aan de tand voelen."

"Daar ben ik helemaal voor," zei Victor grimmig. "Krijg jij daar geen problemen mee?"

"Niet als niemand erachter komt," antwoordde Arend droog.

"Oké, doen we. Kom jij me morgenavond halen?"

"Om een uur of elf," sprak Arend af.

Ze verbraken de verbinding en Arend toog nu toch aan het werk.

Victor legde verbijsterd door dit nieuws zijn telefoon neer.

"Wie was dat?" vroeg Paula met haar ogen op de tv gericht.

"Arend." Hij drukte resoluut de televisie uit.

"Hé, daar zit ik naar te kijken," protesteerde ze.

"Wij moeten praten," verklaarde hij kort.

Er verscheen een waakzame blik in Paula's ogen. Dit zinnetje kende ze, dat had ze vaker gehoord van mannen waar ze mee omging. Meestal betekende het niet veel goeds. Bij voorbaat sprongen de tranen in haar ogen.

"Moet dat nu?" klaagde ze. "Ik voel me al zo beroerd. Weet je dat het nu een jaar geleden is dat Nicole is weggelopen? Ik denk er momenteel voortdurend aan."

Victors mond vertrok tot een smalle streep. Dit argument gooide ze voortdurend in de strijd als hij over hun relatie begon. En met succes, dat moest hij toegeven. Zijn medelijden met haar had hem tot nu toe belet verdere stappen te ondernemen. Nu begon hij haar echter te doorzien.

"Het gaat juist over Nicole. Als je haar zo vreselijk mist zul je wel dolblij zijn te horen dat Arend haar gevonden heeft." Hij kon enig sarcasme niet uit zijn stem weren.

"Werkelijk? Waar?" Paula veerde overeind. Het liet haar gelukkig niet helemaal onverschillig, constateerde Victor met opluchting.

"Ze tippelt achter het oude industrieterrein," zei hij zonder omwegen. "Arend denkt dat ze onder druk wordt gezet door die vriend van haar."

"Nee!" Geschrokken sloeg Paula een hand voor haar mond, haar gezicht trok wit weg. "O, wat erg! Dit had ik nooit verwacht." Ze was werkelijk van slag af door dit nieuws. Al die tijd had ze zichzelf voorgehouden dat Nicole zich wel zou redden, dat ze volwassen genoeg was om zelfstandig door het leven te gaan, zonder dat haar moeder haar aan het handje vasthield. De realiteit kwam hard bij haar binnen. "Als ik dat had geweten had ik haar daar hoogstpersoonlijk weggesleurd," zei ze schor.

"Dit is een lot wat veel weggelopen tieners treft, dus je had het kunnen weten," meende Victor niet onvriendelijk.

"Ik dacht dat Nicole te verstandig was voor dit soort dingen."

"Nicole was zestien toen ze er vandoor ging om bij haar vriendje te gaan wonen. Op die leeftijd kunnen kinderen dergelijke beslissingen nog niet nemen, daar zijn ze nog niet aan toe."

"Nicole is altijd heel volwassen geweest."

"Is dat de reden dat je haar niet als vermist hebt opgegeven?" vroeg Victor nu rechtuit. Dit had hem al die tijd dwars gezeten, maar hij had er nooit naar willen vragen omdat hij bang was Paula te kwetsen. Het was zo'n precair gespreksonderwerp. Hij wilde haar nergens van beschuldigen, al had hij al die tijd het gevoel gehad dat er iets niet klopte. Nu kon hij deze vraag niet langer voor zich houden. Hoe hij hierover dacht was van zijn gezicht af te lezen, waardoor Paula onmiddellijk in de verdediging schoot.

"Dat heb ik wel gedaan. Ik heb toen de hele middag op het politiebureau gezeten, dat heb ik je toch verteld?"

"Dat heb je gezegd, ja, maar volgens Arend staat ze nergens in het dossier vermeld."

"Dat is mijn schuld niet, dan hebben ze daar een fout gemaakt. Ik heb bijna twee uur zitten praten met een jonge agent en hij vertelde me dat ze niets doen aan weggelopen meisjes van die leeftijd, dus toen ben ik weer weggegaan. Ik wist niet dat ik haar specifiek als vermist moest opgeven om in dat dossier te komen."

Paula begon hard te huilen, iets wat Victor met gemengde gevoelens bekeek. Het klonk aannemelijk wat ze zei, toch had hij het idee dat ze toneel speelde, al haatte hij zichzelf om deze gedachte. Maar het klonk zo onecht, alsof ze deze woorden uit haar hoofd had geleerd om ze op te kunnen zeggen wanneer het nodig was.

"Enfin, dat doet er op dit moment niet meer toe," zei hij. Hij wreef vermoeid over zijn ogen. "Het belangrijkste is nu dat ze daar weggehaald wordt."

"Hoe gaan we dat aanpakken?" vroeg Paula zich hardop af. "Zullen we erheen gaan?"

Victor schudde zijn hoofd. "Ik ga morgen met Arend naar die vriend toe, hij heeft het adres. Ga nu niet ineens overhaast te werk. Zolang we niet precies weten hoe het zit moeten we voorzichtig zijn."

"Het gaat wel om mijn kind!" zei ze obstinaat. Ze had het huilen gestaakt en keek hem strijdlustig aan.

"Dat had je eerder moeten bedenken," kon Victor niet nalaten te zeggen. Hij negeerde de nieuwe huilbui die op deze woorden volgde en liep de kamer uit. In de gang leunde hij vermoeid tegen de muur. Wat moest hij hier nu mee aan? Als partner was het zijn taak om Paula in deze situatie te steunen, maar er kwamen alleen maar verwijten in zijn hoofd op. Als Paula zich wat meer om haar dochter had bekommerd, had het zover niet hoeven komen.

Ze hield waarschijnlijk op haar eigen manier van Nicole, maar veel aandacht had ze nooit voor het kind gehad, daar was hij inmiddels wel achter. Misschien was dit niet de directe oorzaak voor het feit dat Nicole nu haar lichaam verkocht op een oud industrieterrein, maar het had er zeker mee te maken. Als ze zijn dochter was geweest had hij haar desnoods aan haar haren terug naar huis gesleurd toen ze er vandoor ging. Dat zou hij nu ook het liefste willen doen, haar onmiddellijk weghalen uit het milieu waar ze in terecht gekomen was. Dat kind hoorde daar niet. Niemand hoorde daar.

Hij rommelde wat in de keuken en ging de huiskamer pas weer binnen nadat Paula naar boven was gegaan. Hij kon haar gezelschap even niet velen. Lang staarde hij naar de schoolfoto van Nicole aan de muur. Een lief, onschuldig gezichtje met grote bruine ogen staarde terug. Een ernstig, niet al te vrolijk kind, maar desalniettemin wel een kind. Hij vroeg zich af hoeveel er nog over zou zijn van dat kinderlijke na de maanden die achter haar lagen. Heel weinig, vreesde hij. Vertwijfeld vroeg hij zich af waarom hij er blijkbaar meer mee zat dan haar eigen moeder. Hij kende Nicole niet eens, maar de blik in de ogen die hem vanaf de foto aanstaarden intrigeerde hem. Hij zou er in ieder geval alles aan doen wat mogelijk was om Nicole weg te halen uit de situatie waarin ze zich bevond en niet alleen omdat hij toevallig de vriend van haar moeder was. Dat laatste zou trouwens niet al te lang meer duren, daar was hij nu wel achter. Op dit moment wilde hij Paula niet in de steek laten, maar zijn liefde voor haar was door dit alles behoorlijk bekoeld. Als het al ooit liefde was geweest wat hij voor haar gevoeld had. Hij werd destijds als een magneet aangetrokken door haar knappe uiterlijk en haar charme, maar wist nu dat het nooit dieper gegaan was dan dat.

HOOFDSTUK 17

Het gesprek met Jordy verliep precies zoals Arend verwacht had. Hij schrok behoorlijk bij het zien van de twee stevige mannen die voor Nicole's belangen opkwamen en nadat hij ze aangehoord had, beloofde hij onmiddellijk Nicole voortaan met rust te laten. "Hij deed het nog net niet in zijn broek, maar het scheelde heel weinig," genoot Arend later na onder het genot van een pilsje. "Ik moet me heel sterk vergissen als Nicole niet vanavond nog op straat gezet wordt door hem. Dan is ze tenminste van hem af."

"Ze moet dan wel opgevangen worden," zei Victor. "Dat doe ik wel. Ik weet niet tot hoe laat ze altijd aan het werk blijft, maar ik blijf wel voor die deur posten, zodat ze niet vannacht of morgenochtend moederziel alleen op straat staat."

"Dat lijkt me het beste, ja," was Arend het met zijn broer eens. "Dan kun je haar meteen naar huis brengen, want wie weet waar ze anders naar toe gaat. Ik geloof nooit dat ze uit zichzelf terug naar haar moeder gaat. Voor meisjes van die leeftijd voelt dat toch vaak aan als een vernedering, met hangende pootjes terugkeren op het nest."

"Het belangrijkste is in ieder geval dat ze bij die knul weg is. Ik had hem wel kunnen wurgen," bekende Victor.

"Ik ken dat gevoel, ja. Dat gebeurt me in mijn werk regelmatig. Je wilt niet geloven met wat voor gewetenloze types ik vaak te maken krijg," beleed Arend. "En dan moet je je aan allerlei stomme bureaucratische regeltjes houden terwijl je zo'n vent het liefst even stevig op zijn gezicht wilt timmeren. Het ergste is ook nog dat ze precies weten hoe de wet in elkaar zit en welke rechten ze hebben. Over plichten hoor je ze nooit."

"Dan moet zo'n gesprek zoals we nu met Jordy hebben gehad, voor jou toch ook wel een verademing zijn geweest." Victor grijnsde breed. "Je hebt aardig wat dreigementen op hem afgevuurd. Ik zag hem steeds bleker worden."

"Ik hoop dat hij minstens zo bang voor mij is als Nicole voor hem," wenste Arend grimmig. "Officieel mag ik dit natuurlijk helemaal niet doen, des te leuker vond ik het."

"Nu alleen maar hopen dat hij geen aanklacht tegen je indient."

"Dat verwacht ik niet. Randfiguren als die Jordy zijn daar meestal niet gehard genoeg voor. Het zijn meelopertjes die zich almachtig voelen tegenover meisjes als Nicole, maar die niets meer durven als ze iemand tegenover zich krijgen die sterker is. Niks waard, die gozer," meende Arend schouderophalend. "En zo wel, nou ja... Dat zie ik dan wel weer. Zij is tenminste bij hem weg. Soms gaan dat soort belangen voor beroepsethiek."

"Bedankt," zei Victor uit de grond van zijn hart. Hij stond op en bracht zijn lege glas naar de bar. "Ik ga mijn wagen halen en dan ga ik daar voor de deur staan, want je weet nooit hoe laat dat kind thuis komt. Waarschijnlijk pas in de ochtend, maar daar ga ik maar niet vanuit."

"Ik breng je wel," bood Arend aan.

Zwijgend reden de broers naar het huis van Paula, waar Victors wagen stond. Victor had haar telefonisch al ingelicht over de gang van zaken, dus ging hij niet naar binnen. Hij zei Arend gedag, stapte in en reed weg. In plaats van rechtstreeks naar Jordy's adres te gaan, zette hij koers naar het industrieterrein. Hij zag Nicole niet, maar net toen hij in dubio stond wat hij nu het beste kon doen, stapte ze uit een auto. De chauffeur was een man van een jaar of zeventig, die razendsnel optrok nadat Nicole zijn wagen had verlaten. Ze had amper de tijd om het portier goed dicht te doen en moest haastig opzij springen om niet geraakt te worden door de optrekkende wagen.

Victor voelde beslist moordneigingen opkomen bij het gedrag van die man. De drang om dit meisje te beschermen tegen dergelijke types was ontzettend groot. Hij overwoog even om zijn oorspronkelijke plan te laten varen en haar meteen mee te nemen naar haar moeder, maar dat verwierp hij weer. Als hij haar hier aansprak en vertelde wie hij was, was de kans groot dat ze een scène zou trappen, iets waar hij niet op zat te wachten.

Node moest hij dan ook toekijken hoe ze even later opnieuw door een klant werd opgepikt. Woede jegens de mannen die op deze manier misbruik maakten van jonge meisjes, steeg in hem op. Zij hielden deze ellende in stand. Op dat moment schaamde hij zich dat hij een man was.

Het duurde uren voordat Nicole aanstalten maakte om naar huis te gaan. De zon kwam al op en het terrein lag er bijna verlaten bij. Hoewel hij eigenlijk bang was dat ze niet rechtstreeks naar huis zou gaan, besloot Victor toch om niet achter haar aan te rijden. Dat zou te veel opvallen. Snel reed hij haar voorbij.

In het midden van de straat waar Jordy woonde, bijna voor zijn deur, vond Victor een parkeerplaats waar hij de gebeurtenissen verder afwachtte. Hij nam zich voor naar binnen te gaan als Nicole niet binnen een uur weer buiten zou staan. Jordy was dan wel heel erg bang geweest voor hem en Arend, er was natuurlijk geen garantie dat hij zijn woord hield.

Nicole arriveerde tien minuten later dan Victor bij het pand. Moe van de afgelopen nacht sleepte ze zichzelf de trappen op naar de zolder. Eerst een douche en dan slapen, nam ze zich voor. Heel lang slapen. Het liefst diep en droomloos.

Zover kwam het echter niet. Jordy lag niet, zoals gewoonlijk, in bed. Hij zat haar op te wachten, met aan zijn voeten de twee grote tassen met haar eigen spullen.

"Ik heb genoeg van je, je kunt gaan," zei hij hard. Hij maakte een gebaar naar de tassen. "Neem je spullen mee en hoepel op."

"Maar... Maar... Wat is dit?" vroeg ze verbijsterd.

"Je hoort me toch? Ik ben je zat."

"Je kunt me toch niet zomaar op straat zetten?"

"Dit is nog altijd mijn kamer, jij hebt hier niets te vertellen."

"Maar Jordy..."

"Sodemieter op," zei hij grof.

Met trillende handen pakte Nicole de twee tassen op. Ze was zo verbijsterd door deze onverwachte ontwikkeling dat ze niet eens opluchting voelde vanwege het feit dat ze aan haar troosteloze leven kon ontsnappen.

"Waarom doe je dit?" vroeg ze hulpeloos. "Wat heb ik verkeerd gedaan?"

"Maak me niet wijs dat je liever wilt blijven," smaalde Jordy. Hij zette de deur van zijn kamer wijd open. "Ga weg. Ik wil je nooit meer zien."

Als verdoofd liep Nicole naar beneden. Dit was bizar, onwerkelijk. Vooral de laatste tijd had ze het heel zwaar gehad bij hem, maar dit was het enige leven dat ze kende. Ze had geen enkele uitwijkmogelijkheid. Eenmaal buiten zette ze de tassen neer en keek ze verdwaasd om zich heen. Wat moest ze nu doen? Ze kon het gewoonweg niet vatten, dit kwam zo onverwachts. Jordy had niet eens om de opbrengst van afgelopen nacht gevraagd, ontdekte ze.

"Nicole," klonk het naast haar.

Verbaasd keek ze op, recht in het gezicht van een man die ze niet kende.

"Ik ben Victor, de vriend van je moeder. Kom mee, dan breng ik je bij haar," zei hij vriendelijk.

"Ik wil niet naar mijn moeder. Die zal trouwens niet op mij zitten te wachten."

"Ze is heel blij dat je weer thuis komt," verzekerde hij haar.

"Hoezo? Hoe weet ze dat? Wat gebeurt er allemaal?" vroeg ze zich hardop af.

"Stap in, dan zal ik het je vertellen." Uitnodigend hield hij het portier van zijn wagen open en Nicole wist niets beters te doen dan in te stappen. Victor zette de tassen in de bagageruimte en nam plaats achter het stuur. "Ik rij hier eerst weg voor je vriendje naar buiten komt. Ik ben niet bang voor hem, maar zit niet op een confrontatie te wachten waar jij bij bent."

Hij startte zijn wagen en reed het centrum in, waar hij parkeerde bij een supermarkt, die op dit vroege tijdstip nog dicht was. Enkele mensen liepen voorbij, voor de rest was het stil. Hij zette de motor uit en wendde zich tot Nicole. "Je vraagt je vast af wat er zich allemaal afgespeeld heeft."

"Nogal, ja. Het overvalt me allemaal."

"Dat kan ik me heel goed voorstellen," zei hij met een warme klank in zijn stem. "Zoals ik al zei, ben ik de vriend van je moeder. Van haar weet ik uiteraard dat je thuis weggelopen bent. Mijn broer Arend is rechercheur bij de zedenpolitie, ik heb hem van jou verteld en bij ons thuis heeft hij je foto gezien. Twee dagen geleden zag hij je op het industrieterrein en herkende hij je en zo is het balletje gaan rollen. Gisteravond zijn we samen naar Jordy toe gegaan."

"Dat was dus die man die een praatje met me kwam maken," constateerde Nicole. "Ik vond het al zo vreemd. Klanten doen dat niet."

Victor knikte. "Met de verhoortechnieken die hij kent was het voor hem niet zo moeilijk om aan je adres te komen."

"Wat hebben jullie tegen Jordy gezegd?" Ondanks alles klonk haar stem ongerust. "Jullie hebben hem toch niets aangedaan?"

"Nog niet," antwoordde Victor grimmig. "Al scheelde het weinig. In ieder geval schrok hij genoeg om jou te laten gaan. Ik denk niet dat hij ooit nog contact met je op durft te nemen."

Zwijgend staarde Nicole door de voorruit naar buiten. Dit kwam allemaal zo onverwachts, het drong nog niet echt tot haar door.

"Hoe kwam je erbij?" vroeg Victor ineens zacht. "Om te gaan tippelen, bedoel ik?"

Ze schokte met haar schouders. "We hadden geld nodig," zei ze kort.

"Ooit aan een baan gedacht?"

"Wel geprobeerd, maar de maatschappij zit niet te springen om zeventienjarigen zonder diploma en zonder ervaring. Ze wilden me nergens hebben."

"En Jordy?"

Weer die schouderbeweging. "Die heeft nooit gewerkt. Toen zijn uitkering gekort werd omdat hij niet genoeg solliciteerde probeerde hij het wel, zei hij. Tot hij iets gevonden had moest er toch brood op de plank komen. Stom genoeg geloofde ik echt dat hij regelmatig sollicitatiegesprekken voerde."

"Ga jezelf geen schuldgevoel aanpraten," zei Victor vriendelijk. Hij maakte een gebaar alsof hij zijn hand op de hare wilde leggen, maar trok op het laatste moment terug. Dit meisje was genoeg aangeraakt door vreemde mannen. "Hij heeft misbruik van je gemaakt en je gemanipuleerd. Jij was verliefd en dan doe je domme dingen."

"Blijkbaar. Ik vond het vreselijk, toch liet ik me overhalen." Ze huiverde in het dunne bloesje. "Het leek me beter dan bij hem weg te moeten."

"Denk je er nu nog zo over?" wilde hij weten.

Langzaam schudde ze haar hoofd. "Sinds ik erachter kwam dat hij helemaal niet solliciteerde en mij beschouwde als de kip met de gouden eieren, is er veel veranderd tussen ons. Toen wilde ik wel weg, maar durfde ik niet meer. Hij dreigde met van alles."

"Zoiets dachten wij al, ja." Victors mond vertrok tot een smalle streep. "Enfin, hij heeft nu een koekje van eigen deeg gekregen. Arend was ook niet mis in zijn bewoordingen met wat Jordy allemaal overkomt als hij jou ooit nog eens lastig valt."

Plotseling schoot Nicole in de lach. "Jammer dat ik daar niet bij ben geweest. Ik had zijn gezicht graag willen zien."

Verrast door die heldere lach keek Victor opzij. Hij had weleens gehoord dat de slachtoffers in dit soort gevallen toch altijd trouw bleven aan de mannen die hen in deze situatie hadden gebracht. Nicole leek niet bij die categorie te horen, waar hij alleen maar blij om kon zijn. Nu pakte hij toch haar hand vast en kneep er even in. Ze trok hem niet terug.

"Jij redt je wel. Je bent sterk, Nicole. Ik weet zeker dat je je hier bovenuit weet te vechten en dat je het achter je kunt laten," zei hij warm.

"Dat hoop ik. Zo heel zeker ben ik daar zelf niet van. Mijn leven is sinds mijn tiende al niet normaal geweest, ik weet niet eens meer hoe dat moet."

"Daar kom je wel achter als je jezelf de tijd gunt. Je hoeft in ieder geval niet bang te zijn dat je bij je moeder niet welkom bent. Zij is erg geschrokken toen ze alles hoorde."

Hier gaf Nicole geen antwoord op. Ze zag tegen de confrontatie met Paula op. Er was zoveel gezegd en gebeurd. Ze vroeg zich serieus af of ze weer op een normale manier als moeder en dochter samen in één huis konden wonen. Hoewel, samen? Ze keek tersluiks naar Victor, die aanstalten maakte om de auto te starten.

"Jij bent mijn moeders vriend. Woon je met haar samen?" vroeg ze.

Victor schrok van deze vraag. Wat moest hij hier op antwoorden? Als het aan hem lag duurde dat samenwonen niet lang meer, maar dat kon hij nu niet tegen Nicole zeggen, dat zou niet eerlijk tegenover Paula zijn. Nu ja antwoorden terwijl hij straks wegging kon hij echter ook niet. Hij startte de wagen, keek om zich heen of hij veilig weg kon rijden en deed net of hij haar niet gehoord had.

"Zo, we gaan," zei hij gemaakt opgewekt zonder antwoord te geven. "Op naar je nieuwe leven, Nicole. Eigenlijk je oude leven.

Je ziet, er is altijd een weg terug."

Nicole keek uit het raampje naar de vertrouwde straten. Het leek jaren geleden dat ze hier weg was gegaan. Het drong nu pas echt tot haar door dat ze op weg was naar haar ouderlijk huis, iets wat ze gisteren nog voor onmogelijk had gehouden. Ze was vrij van Jordy. Ze hoefde nooit meer terug naar die tippelzone om geld voor hen te verdienen. Ze hoefde geen vreemde mannen meer aan haar lichaam te laten zitten. Eindelijk begon dan toch de blijheid hierover de kop bij haar op te steken.

"Dank je wel," zei ze plotseling in de stille auto. "Ik durfde zelf de stap niet te zetten, maar ik ben blij dat jullie me daar weg-gehaald hebben. Het is fantastisch dat je zoveel moeite doet voor iemand die je niet eens kent."

"Ooit zou je zelf de moed wel gevonden hebben, wij hebben dat proces alleen maar versneld," meende Victor. Hij keek even vluchtig opzij en glimlachte naar haar. "En helemaal vreemd ben je natuurlijk niet voor me. Ik ken je van foto's en uit verhalen van je moeder."

Hier ging Nicole niet op in. Ze vond het een vreemd idee dat deze Victor de partner van haar moeder was. Ze kon hem he-lemaal niet naast haar plaatsen en dat kwam niet alleen omdat hij zes jaar jonger was dan Paula. De vrienden die haar moeder altijd had gehad, waren van een heel ander kaliber. Ze leken niet bij elkaar te passen, al kon ze daar niet echt over oordelen na dit halve uurtje.

Het weerzien met Paula verliep stroef.

"Fijn dat je er weer bent," zei Paula geforceerd. Ze wreef in haar handen, duidelijk geen raad wetend met haar houding. "We zullen het maar niet meer hebben over onze ruzie, hè? Je bent er weer, daar gaat het om. Wil je iets drinken?"

"Nee. Ik wil graag douchen, daarna ga ik mijn spullen uitpakken," zei Nicole ongemakkelijk. Ze had geen innige omhelzing verwacht, maar dat ze als twee vreemden tegenover elkaar stonden deed haar pijn. Ze glipte de kamer uit, de ogen van Victor ontwijkend.

In haar eigen slaapkamer liet ze zich langzaam op het bed zakken, verdwaasd om zich heen kijkend. Het verschil met de armoedige zolder was dan ook wel erg groot, iets wat ze zich nooit eerder zo gerealiseerd had. Op die zolder had ze zich wel heel lang geliefd geweten, een gevoel dat hier thuis ontbrak. Het zou niet meevallen om van hieruit opnieuw te beginnen, maar ze was vast van plan om iets van haar leven te maken. Deze kans om aan het leven op het industrieterrein te ontsnappen liet ze zich niet ontglippen. De blijdschap dat ze daar nu echt weg was, overheerste in ieder geval alle andere gevoelens.

Victor en Paula bleven alleen in de huiskamer achter. Dit leek hem een mooie gelegenheid om te doen wat hij al langer wilde, namelijk terugkeren naar zijn eigen flat. Hij wilde Paula nog steeds niet kwetsen, maar de terugkomst van Nicole was een goede aanleiding. Ze zou nu tenminste niet alleen achter blijven, één van de redenen waarom hij de knoop nog niet doorgehakt had.

"Nicole is dus weer thuis," begon hij. "Het lijkt mij het beste dat ik nu terugga naar mijn eigen flat."

"Waarom?" Paula veerde geschrokken overeind. "Je woont hier, ongeacht of Nicole er nu wel of niet is."

"Het heeft niet alleen met Nicole te maken, al telt het mee. Onze relatie is echter allang niet meer wat het in het begin was, Paula. Dat zul jij ook toe moeten geven."

"Er mankeert niets aan onze relatie. Het kan nu zelfs alleen maar beter worden, nu ik me niet meer zoveel zorgen om mijn dochter hoef te maken. Het spijt me als jij daardoor op het tweede plan kwam, schat, maar dat is nu voorbij." Aanhalig kroop Paula tegen hem aan. "We kunnen nu als een gezin door het leven. Dat wilde je toch zo graag, een gezin?"

Kalm duwde hij haar opzij. "Wat ik wil is een warmvoelende vrouw met een eigen persoonlijkheid, die haar geluk niet af laat hangen van een man. Tot nu toe ben je ieder gesprek over onze relatie uit de weg gegaan door te beginnen over Nicole, dat gaat nu niet meer op. Ze is thuis, het lijkt me belangrijk dat je nu al je aandacht en zorg op haar richt, in plaats van op mij."

"Nicole zal moeten accepteren dat jij hier ook woont. Ze kan er niet zomaar vandoor gaan, na ruim een jaar terugkomen en dan denken dat er niets veranderd is."

"Het laatste waar Nicole nu op zit te wachten is in één huis wonen met een vreemde man, die ze dan ook nog als nieuwe vader moet accepteren," wees Victor haar terecht.

"Je bent nogal begaan met haar welzijn," zei Paula spottend. "Meer dan met het mijne blijkbaar."

"Het zou je sieren als jij ook wat meer aan het belang van je dochter dacht, in plaats van aan alles wat je zelf wilt," zei Victor strak.

"O, krijg ik nu ineens dat soort verwijten naar mijn hoofd? Wordt

Nicole niet genoeg met zijden handschoentjes aangepakt?" vroeg Paula sarcastisch.

Victor zuchtte. Hij had kunnen weten dat het gesprek deze kant op zou gaan, zo ging het immers iedere keer. Hij had schoon genoeg van dit soort discussies.

"We kunnen er kort of lang over praten, maar dat verandert niets aan de situatie," zei hij dan ook beslist. "Laten we als volwassenen mensen uit elkaar gaan, zonder modder naar elkaar te gooien. Jij bent niet de vrouw die ik verwacht en gehoopt had en ongetwijfeld geldt dat andersom ook zo, dus valt er niemand iets te verwijten. We passen gewoon niet bij elkaar."

"Ga dan maar!" riep Paula. Ze begon te huilen, maar dit keer was hij daar niet ontvankelijk voor.

"Dat lijkt me inderdaad het beste, ja. Zorg voor Nicole, Paula. Ze heeft wat liefde nodig," zei hij nog.

"Ik ook," zei Paula bitter.

Ze sprak echter tegen een dichte deur. Victor liep naar boven om zijn spullen te pakken. Ondanks dat hij hier een behoorlijke tijd gewoond had, was dat niet veel. Het meeste van wat hij bezat stond nog steeds in zijn eigen flat, die hij aangehouden had. Hij was dan ook zo klaar met inpakken. Nicole stond nog onder de douche, hij hoorde de kraan lopen. Hij aarzelde even, liep toen toch door. Ze zou er niet echt op zitten te wachten dat hij hier bleef staan tot ze naar buiten kwam, zodat ze afscheid van elkaar konden nemen.

Het afscheid met Paula verliep kil. Ze keek hem niet aan toen hij in de deuropening bleef staan.

"Het ga je goed, Paula," zei hij.

"Alsof jou dat nog wat interesseert," gaf ze snibbig terug.

"Jouw welzijn is me al die tijd aan het hart gegaan, daarom ben ik nog zo lang gebleven. Ik hoop dat het goed uitpakt tussen Nicole en jou en dat jullie samen de draad weer op kunnen pakken. Mocht je hulp nodig hebben, dan kun je me altijd bellen."

Ze gaf hier geen weerwoord meer op, draaide demonstratief haar rug naar hem toe.

Zuchtend, maar ook met een gevoel van bevrijding, pakte Victor zijn koffer en liep hij weg. Buiten keek hij nog even omhoog naar het badkamerraam, waar hij Nicole achter wist. Zijn tijd hier was in ieder geval niet voor niets geweest, dat was een prettig gevoel.

HOOFDSTUK 18

Nicole nam het bericht van Victors vertrek voor kennisgeving aan. Diep in haar hart vond ze het niet erg, al zou ze dat niet aan haar huilende moeder durven zeggen. Hoewel ze hem zeer sympathiek vond was ze blij dat ze niet met hem in één huis hoefde te wonen. Ze was niet bepaald trots op zichzelf nu en de schaamte naar hem toe zou haar ongetwijfeld belet hebben normaal met hem om te gaan. Bovendien vond ze echt dat haar moeder en Victor niet bij elkaar pasten. Ze vond het een zeer raar idee dat die twee een relatie gehad hadden.

Gelaten ging ze ervan uit dat Paula nu wel weer opnieuw op mannenjacht zou gaan, zoals ze altijd gedaan had zodra de laatste vriend de benen had genomen. Dat betekende weer avonden en nachten lang in haar eentje thuis doorbrengen, maar na alles wat ze had meegemaakt vond ze dat niet erg meer. Vergeleken bij de laatste tijd met Jordy was het thuis een paradijs voor Nicole. Nu merkte ze pas hoe gespannen ze de afgelopen tijd geweest was en hoezeer ze op de toppen van haar zenuwen had gelopen. Tot haar grote verbazing bleef haar moeder de avonden daarna echter thuis. Ze kookte zelfs voor hun tweeën en het was niet eens ongezellig, al waren ze meer twee vreemden voor elkaar dan moeder en dochter. Ze gedroegen zich beleefd, maar afstandelijk. Paula informeerde niet naar alles wat Nicole had meegemaakt en uit zichzelf begon ze er niet over. Dat wilde ze juist achter zich laten en het niet steeds oprakelen.

Ze ging naarstig op zoek naar manieren om alsnog haar middelbareschooldiploma te halen. Terug naar haar oude school wilde ze niet meer. Daar had ze zich vroeger al niet thuis gevoeld, nu zou dat ongetwijfeld nog erger zijn. Ze was het gewone jonge meisjesleven ontgroeid, daar hoorde ze niet meer bij. Als ze wel terugging kwam ze met meisjes in de klas die anderhalf á twee jaar jonger waren dan zij en dat zag ze niet zitten.

Via een maatschappelijk werkster werd ze toegelaten tot volwassen onderwijs, iets waar ze veel beter op haar plek was. Door alles wat ze had doorstaan, niet alleen het laatste jaar, maar ook de jaren daarvoor, voelde Nicole zich allang geen zeventienjarige meer. Om haar vrije tijd op te vullen ging ze weer op zoek naar een baantje en deze keer lukte het haar wel. Twee maanden na haar terugkeer werd ze aangenomen bij een restaurant, om in de weekenden te bedienen.

"Ieder weekend?" vroeg Paula nadat ze van haar plannen had gehoord. "Vind je dat niet wat veel? Dan kun je nooit eens lekker uitgaan."

"Alsof ik daar behoefte aan heb," zei Nicole cynisch. "Gezellig in een café wat drinken en flirten met de aanwezige mannen. Nee, dank je wel. Laat mij maar lekker werken en geld verdienen, dan ben ik jou ook niet zo tot last."

"Je bent me niet tot last. Ik ben blij dat je weer thuis bent," zei Paula onverwachts.

Verrast keek Nicole op. Dit was de eerste keer dat haar moeder iets dergelijks zei. Sinds haar terugkomst deed Paula alsof er niets voorgevallen was, alsof dat ene jaar niet bestond.

"Werkelijk?" vroeg ze dan ook. "Je hebt er nooit iets over gezegd."

"Ik praat niet zo makkelijk, dat weet je. Maar ik meen het wel.

Toen ik hoorde dat je… Wat je deed, dat was een behoorlijk schok voor me."

"Ik ben ook blij dat ik terug ben, ik dacht dat die weg voorgoed afgesneden was."

Paula schudde haar hoofd. "Ik blijf altijd je moeder, dus je kunt hier altijd terecht, vergeet dat nooit."

"Tijdens onze laatste ruzie, de avond dat ik wegging, zei je anders dat ik er nooit meer in zou komen," zei Nicole. Pijnlijk duidelijk herinnerde ze zich precies wat ze elkaar die avond allemaal voor de voeten hadden gegooid. Het was niet echt verheffend geweest, van beide kanten niet.

"Dat was in mijn kwaadheid van dat moment. In de hitte van de strijd zegt iedereen zoiets weleens. Ik was echt kwaad op je, omdat je mijn relatie met Victor saboteerde," wist Paula nog.

"Waar ik achteraf toch gelijk in had," reageerde Nicole droog. "Ook deze relatie is weer voorbij, al moet ik erbij zeggen dat ik Victor een leuke man vind. Het verbaast me trouwens dat je nog geen vervanging voor hem hebt gevonden." Dat laatste flapte ze er zonder nadenken uit, net als vroeger. Ze had nooit een blad voor de mond genomen over dat onderwerp, maar tegenwoordig woog ze haar woorden op een goudschaaltje af. Moeder en dochter spraken trouwens niet veel met elkaar sinds ze terug was. Ze wisselden wat algemeenheden uit, daar bleef het bij. Dit was hun eerste echte gesprek sinds een hele lange tijd. Bijna anderhalf jaar zelfs.

"Mannen kunnen mijn rug op," zei Paula onparlementair. Ze maakte er een veelbetekenend gebaar met haar arm bij. "Ik heb er schoon genoeg van. Ze beloven je van alles, maar als puntje bij paaltje komt vertrekken ze. Voor mij hoeft het niet meer."

"Dan zitten we wat dat betreft in hetzelfde schuitje. Ik heb mijn buik ook meer dan vol van mannen. Dan worden we samen maar een stel oude vrijsters," lachte Nicole.

"Als jij ieder weekend gaat werken zul je inderdaad niet snel een nieuwe vriend vinden," bedacht Paula.

"Dat komt me dan uitstekend uit. Ik weet niet of ik ooit nog iemand kan vertrouwen," bekende Nicole. "Op Jordy was ik echt verliefd, ik deed alles voor hem en daar heeft hij grof misbruik van gemaakt. Ik denk niet dat ik dat een tweede keer aankan."

"Je hebt er ook van geleerd, nu weet je tenminste wat je niet wilt. Een man zal niet snel meer over jouw grenzen heengaan, denk ik. Ik ben hardleerser wat dat betreft." Paula beet op haar lip, ze zag er ineens verdrietig en eenzaam uit. "Ik ben bijna veertig, maar het is wel gebleken dat ik me nog steeds als een speelbal laat gebruiken."

"Victor?" informeerde Nicole.

"Victor was anders. Ik hield echt van hem, maar hij niet van mij. Hij is verliefd geworden op mijn uiterlijk, het is niet verder uitgegroeid. De enige reden dat hij nog zo lang gebleven is, was medelijden. Geen prettig gevoel, moet ik zeggen, al heb ik dat medelijden dan wel gebruikt om hem aan me te binden," zei Paula eerlijk. Ze stond op en begon de vuile bekers en glazen op te ruimen. "Enfin, het is niet anders. Ik ga naar bed, morgen is het weer vroeg dag."

Dat was het einde van hun vertrouwelijke gesprek, begreep Nicole. Het had niet lang geduurd, toch was ze er blij mee. Haar moeder had in dit kwartiertje meer van zichzelf laten zien dan ze in bijna achttien jaar had gedaan. Tot nu toe had ze altijd de schuld van haar mislukte relaties bij anderen gezocht, dit was de eerste keer dat ze zelf verantwoording nam voor dingen die mis waren gelopen. Het was fijn geweest om zo met haar te praten. Ook al had Paula het nu abrupt afgekapt, het was een begin. Misschien konden ze van hieruit toch iets opbouwen, iets wat voorheen nooit echt gelukt was. Een echte moeder en dochter-band zouden ze waarschijnlijk nooit krijgen, daarvoor was het al te laat en was er te veel gebeurd, maar een soort van vriendschap moest toch mogelijk zijn.

Nicole stortte zich op haar schoolwerk en haar baan die haar goed beviel. Het werk was leuk en ze kon goed met haar col-lega's overweg. Het enige nadeel aan dit werk waren de vaak taxerende blikken van mannelijke klanten. Dat deed haar teveel aan de tijd achter het industrieterrein denken.

Eén keer zag ze een vaste klant uit die periode op het terras zitten, samen met zijn vrouw en twee nog kleine kinderen. Ze vluchtte het toilet in, waar ze haar polsen onder de koude kraan hield en tegen de koele tegelmuur leunde. Alles stond haar in-eens weer levendig voor ogen. De lange, koude nachten, de ver-nederingen die ze moest ondergaan, hoe smerig ze zich gevoeld had. Een golf van misselijkheid kwam omhoog bij de beelden die op haar netvlies verschenen. Zou ze dat ooit echt achter zich kunnen laten om opnieuw te beginnen of zou ze hier de rest van haar leven aan herinnerd worden?

"Gaat het wel goed met jou?" Petra, haar cheffin, kwam de toi-letruimte binnen en keek haar onderzoekend aan. "Ik zag je hier naar binnen rennen en het duurde nogal lang, dus besloot ik maar even polshoogte te gaan nemen. Ben je ziek?"

Nicole schudde haar hoofd. "Een beetje misselijk. Misschien van de warmte," zei ze snel. Ze vroeg zich af hoe Petra zou reageren als ze haar de waarheid vertelde. 'Een man die minstens één keer in de week bij mij zijn gerief kwam halen zit nu op het terras.' Ze kon zich de blikken al voorstellen als ze dat vertelde. Waarschijnlijk was ze haar baan hier dan meteen kwijt.

"Ruil maar met Riny, zij serveert binnen. Dan ben je even uit de zon, misschien helpt dat," besloot Petra. "Als het niet gaat, zeg het dan."

Dankbaar dat ze het terras verder mocht mijden, knikte Nicole. Het was een enorme opluchting dat ze die betreffende klant niet hoefde te bedienen. Ze zou zich geen raad geweten hebben met haar houding.

Later kwam hij toch binnen, om een bezoek aan het toilet te brengen en af te rekenen. Hij zag haar staan, hield zijn pas even in en liep toen snel door naar de toiletruimte. Bij zijn terugkeer in het restaurant keek hij haar schuw aan, draaide daarna zijn hoofd weg.

Dit soort confrontaties waren niet alleen voor haar vervelend, besefte Nicole. De klanten die ze had gehad, durfden er ook niet openlijk voor uit te komen dat ze de prostituees op het industrieterrein bezochten. Wat dat betrof hoefde ze niet echt bang te zijn dat haar verleden op straat werd gegooid door mensen die ze van die tijd kende.

Die nacht sliep ze slecht en toen ze eindelijk indommelde werd ze met een harde gil wakker uit een nachtmerrie. Zwetend gooide ze het dekbed van zich af. Er moest nog heel wat water door de zee stromen voor ze het echt allemaal verwerkt had, besefte ze. Door rustig te ademen kreeg ze haar hartslag weer onder controle, daarna voelde ze zich iets beter. Wat er ook nog te gebeuren stond in haar leven, daar ging ze in ieder geval nooit meer naar terug, dat wist ze zeker. Ze ging nog liever bedelen om aan geld te komen. Nicole stapte uit bed en dronk in de badkamer wat water. Het viel niet mee, maar ze kon het aan. Ze was sterk genoeg om met haar verleden af te rekenen, dat wist ze zeker.

Het ging goed met Nicole. Beter zelfs dan het ooit geweest was. Na een moeizame tijd begon ze haar draai weer te vinden en ze sloot zelfs enkele vriendschappen. Niet met mensen van haar eigen leeftijd, want daar voelde ze zich niet bij thuis. Ze kreeg twee vriendinnen die allebei halverwege de twintig waren en waar het echt mee klikte. Voor Nicole was dit ongekend. Het laatste vriendinnetje dat ze had gehad dateerde nog van de basisschool. Dat was voordat haar vader overleed en de eenzaamheid in haar leven toesloeg. Daar had ze nu tenminste geen last meer van.

Ze had haar vriendinnen, collega's en klasgenoten van het volwassen onderwijs. Het pesten zoals ze dat op school had gekend, was voorbij. Haar grote hobby, fotograferen en vervolgens de foto's natekenen, had ze ook weer opgepakt, al had ze er niet veel tijd meer voor. Met haar studie, haar baan en de sociale contacten die ze had opgebouwd was haar leven goed gevuld. Van verveling was geen sprake meer.

Op haar achttiende verjaardag zat Nicole lekker in haar vel en durfde ze te stellen dat ze de periode met Jordy achter zich had gelaten. De littekens zouden altijd blijven en misschien af en toe nog opspelen, maar de pijn was weg. Ze dacht niet vaak meer aan hem of aan die tijd, behalve soms in haar dromen. 's Nachts kon ze niet altijd voorkomen dat de beelden uit het verleden haar besprongen. Soms werd ze 's morgens wakker en was het net of ze weer op die zolderkamer lag, met Jordy naast haar. Pure angst overviel haar dan, totdat ze haar ogen goed opende en constateerde dat ze slechts naar gedroomd had, dat het echt voorbij was.

Op de ochtend van haar verjaardag had ze daar geen last van. Zodra ze wakker werd voelde ze zich goed en opgewekt. De dromen waren die nacht weggebleven, iets wat gelukkig steeds vaker gebeurde. Een teken dat ze er echt overheen aan het groeien was.

Haar verjaardag verliep niet ongezellig. Het viel in een weekend, maar ze had die avond vrij genomen van het restaurant en ging met haar twee vriendinnen, Pamela en Jenny, uit eten.

"Proost, krielkip," zei Jenny terwijl ze haar glas naar Nicole ophief. Ze pestte haar graag met het feit dat ze zoveel jonger was. "Eindelijk volwassen."

"Mens, ik was al volwassen voordat jij naar de middelbare school ging," lachte Nicole. "Dat heeft namelijk niets met leeftijd te maken, maar met intelligentie."

"Daar kan Jenny niet over mee praten," plaagde Pamela.

De avond verliep in een opperbeste stemming en werd pas beeindigd toen het personeel van het restaurant aanstalten begon te maken om op te ruimen.

Met een licht gevoel liep Nicole naar huis. Eindelijk, op haar achttiende, begon ze pas echt te leven. Een normaal leven, met alles wat daarbij hoorde. Het werd ook wel tijd. Die periode met Jordy, hoe graag ze die ook overgeslagen had, was toch niet helemaal voor niets geweest. Ze had er veel van geleerd. Als ze hem niet had ontmoet, had ze nu waarschijnlijk nog steeds als een kluizenaar op haar kamertje gezeten, bang om de wereld tegemoet te treden. De angstige, teruggetrokken tiener die ze was geweest, zou uit zichzelf waarschijnlijk niet zo snel tot bloei gekomen zijn.

Tot haar verrassing was Paula nog wakker. Ze zat haar in de kamer op te wachten met een fles wijn en wat hartige hapjes.

"Op je verjaardag," proostte ze. "Dit is toch een bijzondere dag."

"Ik voel me veel ouder dan achttien," bekende Nicole. "Dat is overigens niet negatief bedoeld, hoor. Juist niet. Veel achttienjarigen weten nog niet echt wat ze met hun leven willen gaan doen of zitten nog in een periode van veel feesten en lang leve de lol, iets wat voor mij niet zo nodig hoeft. Ik voel me lekker zo."

"Je hebt bijna je diploma op zak. Weet je al wat je daarna gaat doen?" vroeg Paula.

"Ja, een cursus doktersassistente. Dat lijkt me leuk, afwisselend werk waarbij je met veel mensen in aanraking komt en je ook iets voor de patiënten kunt betekenen. Voor een medische studie heb ik de hersens en de vooropleiding niet en de verpleging trekt me niet vanwege de wisselende diensten. Dit leek me een mooie tussenweg."

Paula knikte peinzend terwijl ze diepzinnig in haar glas staarde. "Mooi. Misschien ga ik wel met je mee studeren. Een carrièreswitch maken. Hoewel, carrière?" Ze lachte kort. "Twaalf jaar achter de kassa zitten kun je nauwelijks een carrière noemen."

"Jij?" vroeg Nicole verbaasd.

"Je hoeft niet zo verbaasd te doen. Denk je dat ik het niet kan?" spotte Paula.

"Natuurlijk wel, alleen… Ik had dit niet van je verwacht," zei Nicole eerlijk.

"Het komt door jou." Paula sloeg de inhoud van haar glas in één keer achterover en schonk zichzelf meteen een nieuwe in. "Ik heb met bewondering toegekeken hoe jij je leven hebt opgepakt na alle ellende en dat heeft me mijn ogen geopend. Het wordt tijd dat ik ook iets ga doen met mijn leven. Van de mannen hoef ik het niet te hebben, heb ik gemerkt." Dat laatste klonk vertrouwd cynisch, zoals Nicole van haar moeder gewend was, maar wat ze al een tijdje niet gehoord had.

Haar moeder was veranderd, peinsde ze later in bed. Paula zou waarschijnlijk nooit een lieve, zorgzame moederkloek worden, want dat zat niet in haar aard, toch was hun verhouding redelijk goed te noemen nu. Beter dan vroeger in ieder geval. Ze gingen steeds beter met elkaar om. Niet echt als vriendinnen, wel als gelijken. De verwijten vlogen af en toe nog over en weer en soms verliep het contact heel moeizaam, maar op andere momenten was er een ongekende vertrouwelijkheid tussen hen. Door een enkele opmerking, zoals vanavond, kon Paula ineens laten merken dat ze trots op haar dochter was. Sinds ze niet meer voortdurend bezig was om een partner te vinden kreeg ze oog voor andere zaken.

Nicole kon niet nalaten zich af te vragen hoe hun levens verlopen zouden zijn als haar vader nog had geleefd. Zijn dood had bij haar moeder haar slechtste kanten naar boven gehaald. Door zijn overlijden waren de levens van zowel Paula als haarzelf volkomen losgeslagen. De band, zorgzaam door Dick in stand gehouden, verdween volledig. Nu pas, acht jaar later, leek daar verandering in te komen. Moeder en dochter groeiden naar elkaar toe, niet in het minst omdat Nicole volwassen werd en geen verwachtingen meer koesterde op dat gebied. Ze accepteerde haar moeder nu zoals ze was, met al haar gebreken en dat kwam hun verhouding alleen maar ten goede. Het samen in één huis wonen verliep zonder grote problemen en was bij vlagen zelfs gezellig. Dat kon alleen nog maar beter worden, dus zag Nicole de toekomst met vertrouwen tegemoet.

Met plezier begon ze aan de cursus doktersassistente. Paula had er op het laatste moment van afgezien, zij startte een opleiding management. Veertig was een mooie leeftijd om aan een echte carrière te beginnen, had ze geoordeeld. Zo studeerden moeder en dochter vaak samen, ieder aan een kant van de grote eettafel, met een pot thee en een schaal koekjes tussen hen in. Avonden die zonder wanklanken verliepen en waarin ze elkaar steeds beter leerden kennen.

Nicole had bewondering voor de manier waarop haar moeder de studie oppakte. Voor iemand die al ruim twintig jaar niet geleerd had viel dat zeker niet mee, maar Paula liet zich niet ontmoedigen door de soms moeilijke, taaie stof. Ze beet zich erin vast tot ze het volledig beheerste. Op haar beurt was ze trots op Nicole, die het toch maar voor elkaar kreeg om boven het milieu uit te stijgen waar ze een jaar lang in vertoefd had. Voor de meeste meisjes die daarin verzeild raakten, was dat een utopie, maar

Nicole deed het gewoon.

Zo leerden moeder en dochter elkaar steeds meer waarderen en ontstond er een hele nieuwe band tussen hen. Een band die gebaseerd was op gelijkwaardigheid, respect en wederzijdse waardering voor elkaars kwaliteiten. Een band waarvan ze beiden hoopten dat die in de toekomst nog verder uit zou groeien.

HOOFDSTUK 19

Nicole slaagde met glans voor haar opleiding tot doktersassistente en vond vrijwel direct daarna een baan in het plaatselijke ziekenhuis. Het liefst wilde ze bij een huisarts gaan werken, zodat ze de vaste patiënten echt kon leren kennen en helpen, maar voorlopig was ze hier al dolblij mee. Met haar diploma op zak en een echte baan in plaats van een bijbaantje in de weekenden, was ze definitief volwassen.

De periode met Jordy vervaagde steeds meer in haar herinnering, al wist ze dat ze het nooit echt zou kunnen vergeten. Daarvoor was het veel te ingrijpend geweest. Jordy was niet zomaar een verkeerd vriendje geweest, het was veel verder gegaan dan dat. Zonder ingrijpen van Victor en Arend zou ze er waarschijnlijk nooit uitgekomen zijn, want ze wist niet of ze zelf ooit de stap had durven zetten. De weg terug was erg zwaar geweest, zonder hulp van buitenaf was dat bijna niet te doen.

Om haar nieuwe baan te vieren toog Nicole de stad in. Haar garderobe had nodig wat aanvulling nodig voor haar werkkring, want ze wilde daar niet in oude spijkerbroeken en verwassen shirts gaan zitten. Dat zou vast niet erg op prijs gesteld worden. Keurend liep ze langs de vele rekken in diverse winkels, hier en daar iets pakkend om de stof te voelen. Ze kocht twee nette blouses, een rok en een mooie, zwarte broek en bezweek daarna ook nog voor een simpel broekpak, wat haar fantastisch stond en waarvan de prijs veel lager was dan ze had verwacht.

Bepakt en bezakt wilde ze de winkel verlaten. Bij de deur deed ze een stap opzij om een andere vrouw binnen te laten, waarbij ze haar een vluchtige blik toe wierp. Haar adem stokte toen ze haar herkende, ondanks dat de vrouw een blauw oog, een dikke wang en een gescheurde lip had.

"Adrie?" vroeg ze onzeker.

De vrouw draaide haar gezicht naar Nicole toe, er verscheen een blik van herkenning in haar ogen.

"Hé, jij bent toch… Kom, hoe heet je ook alweer? Ik weet wie je bent, maar ik ben je naam kwijt."

"Nicole. Wat is er met jou gebeurd?" Nicole maakte een vaag gebaar naar haar gezicht.

"Een lastige klant," vertelde Adrie summier. Ze keek schichtig om zich heen en trok Nicole iets opzij, zodat passerende mensen niet met hun gesprek mee konden luisteren. "Ik heb jou al heel lang niet meer gezien daar. Ben je eruit ontsnapt?"

Nicole knikte. "Gelukkig wel," zei ze vanuit de grond van haar hart.

"Het is je goed gegaan sinds die tijd, zo te zien. Wees maar blij," zei Adrie wrang. "De business wordt steeds harder, kijk maar naar mij."

"Jij studeerde toch?" herinnerde Nicole zich.

"Ach ja." Adrie trok haar schouders op. "Dat is op niets uitgelopen. Het is moeilijk om dat wereldje te verlaten als je er eenmaal in zit. Het heeft toch ook iets verslavends en het geld maakt veel goed. Enfin, voor jou was het niets, dat merkte ik direct al." Onverwachts pakte ze Nicole bij haar schouders. "Blijf daar voortaan ver vandaan, dat is de enige raad die ik je kan geven. Geniet van je leven zoals het nu is." Na nog een vluchtige groet verdween ze in de winkelende mensenmenigte.

Diep in gedachten liep Nicole naar buiten. Automatisch ontweek ze de tegemoet komende mensen, maar haar gedachten waren er niet bij. De korte ontmoeting met Adrie had veel indruk op haar gemaakt, zeker omdat ze er zo slecht aan toe was. Vriendschappen had ze in de periode achter het industrieterrein niet gesloten, maar met Adrie had ze altijd goed overweg gekund. Ze was er van overtuigd geweest dat zij het aan had gekund om die wereld de rug toe te keren na haar studie, nu was het tegendeel gebleken. Onwillekeurig begon ze te rillen. Dat was haar voorland ook geweest als Victor en Arend haar niet hadden gered. Wie weet hoe ze er dan aan toe was geweest nu. Ze kon niet dankbaar genoeg zijn dat twee vreemde mannen zich zo in hadden gespannen voor haar. Dat was ze ook, dankbaar, blij en gelukkig. Toch voelde ze de laatste tijd ook een vage onrust, iets wat ze niet goed kon benoemen. Alsof haar leven nog niet compleet was, of ze ergens op wachtte, zonder zelf te weten waarop. Haar opleiding was voltooid, ze had een baan, de verhouding met haar moeder werd steeds beter en toch miste er iets. Wist ze maar wat, dan kon ze die lege plek misschien opvullen.

"Nicole."

Ze schrok op bij het horen van de stem die haar naam zei. Een warme, bekende stem, eentje die ze in gedachten heel vaak had gehoord. Ze keek recht in het gezicht van Victor.

"Nicole," zei hij nogmaals. "Wat fijn om jou te zien. Hoe gaat het met je?"

"Goed," antwoordde ze verward. Victor… De man die nooit echt uit haar gedachten verdwenen was, zonder dat ze zich daar bewust van was. Ze staarden elkaar aan alsof ze de enige mensen in deze druk bevolkte winkelstraat waren. Plotseling begreep Nicole waar ze naar op zoek was, wat ze had gemist. Ze sloeg haar ogen neer en bloosde. Victor!

"Kom, we gaan iets drinken om deze ontmoeting te vieren." Hij greep haar hand en trok haar mee, een klein restaurantje in waar het nog niet druk was op dit tijdstip. Bewust stevende hij af op een tafeltje achterin de zaak, ver bij de paar andere klanten vandaan.

"Nicole." Voor de derde maal kwam haar naam over zijn lippen. Het klonk bijna teder. Of verbeeldde ze zich nu dingen omdat ze dat zo graag wilde? Nicole's hart ging wild tekeer in haar borstkas. Het leek waarachtig wel of er bij haar nooit iets heel normaal en geleidelijk kon gaan. Alle veranderingen in haar leven waren onverwachts uit de lucht komen vallen, net als deze gevoelens. Ze wist zich geen raad met haar houding, iets waar Victor geen last van leek te hebben.

Op het tafelblad pakte hij allebei haar handen vast, zijn ogen waren recht op haar gezicht gericht. Nicole's ogen vlogen juist alle kanten op.

"Je mag me wel aankijken, hoor," zei hij met een klein lachje. "Ik eet je niet op. Ik bijt zelfs niet eens. Vertel eens, hoe is het jou vergaan? Je ziet er een stuk beter uit dan toen. Volwassen."

"Dat mag ik hopen. Ik heb een baan," vertelde Nicole trots. "Doktersassistente, hier in het ziekenhuis, afdeling gynaecologie."

"Wat goed van je. Bevalt het?"

"Ik moet nog beginnen," bekende ze. "Maandag is mijn eerste werkdag." Ze begon zich wat meer op haar gemak te voelen nu,

zou doen als ze hier ontkennend op antwoordde. Ja zeggen hield echter ook in dat ze moest vertellen wie het was. Een andere optie zag ze op dat moment niet, ze wilde er niet over liegen. Hoewel ze net met Victor had afgesproken dat ze het Paula samen zouden vertellen, leek het er nu op dat ze het in haar eentje moest doen. Wellicht was dat ook beter, dacht Nicole in een fractie van een seconde. Met Victor erbij werd het waarschijnlijk heel ongemakkelijk en geforceerd.

"Niet zomaar verliefd, ik hou van iemand," zei ze langzaam, om tijd te winnen.

"Een collega?" informeerde Paula belangstellend terwijl ze de vuile vaat in de afwasmachine zette en de keuken verder opruimde.

"Nee," antwoordde Nicole aarzelend. "Het is geen collega. Ga even zitten, mam, ik moet met je praten."

Bevreemd door de klank van haar stem keek Paula haar aan. "Wat is er aan de hand?" vroeg ze scherp. "Het is toch niet weer die Jordy, hè?" Haar stem sloeg over van ongerustheid.

Nicole schudde haar hoofd. Ze liep naar de kamer en Paula volgde haar. Gezeten op het puntje van de bank wachtte ze af wat Nicole te vertellen had.

"Ik eh… Ik heb hem pas weer ontmoet, na een lange tijd," begon die. Ze wilde dat ze een makkelijke manier wist om dit nieuws te brengen, maar die was er niet. Ze haalde dan ook diep adem en gooide het er in één keer uit. "Het is Victor."

"Victor?" echode Paula. "Mijn Victor?" Ze trok bleek weg.

Nicole knikte met neergeslagen ogen. "Het zal best een klap voor je zijn, maar we houden van elkaar," zei ze zacht. "Dit heb-

ben we niet gezocht. We kwamen elkaar tegen en toen... Nou ja, de vonk sloeg over en sindsdien hebben we een relatie."

"Hoelang al?" vroeg Paula schor.

"Een paar weken."

Paula bleef als verstijfd zitten, talloze gedachten raasden door haar hoofd heen, zonder dat ze in staat was om één woord uit te brengen. Victor... De enige man waar ze echt om gegeven had na Dick. Met hem was het anders geweest dan met al die andere mannen die sinds zijn overlijden in haar leven waren gekomen en weer gegaan. En uitgerekend met hem... Ze stikte bijna in de gevoelens die haar bestormden. Woede, verdriet, afwijzing, vernedering, één voor één trokken ze door haar lichaam heen. De woede nam de overhand. Zelf was ze niet goed genoeg voor hem geweest en nu ging hij er met haar dochter vandoor! De bekende bok met het groene blaadje. Hij was weliswaar jonger dan zijzelf was, maar hun leeftijdsverschil was niet zo groot als tussen Victor en Nicole. Na een oudere vrouw was hij nu dus gezwicht voor de jongere versie. Ze was gewoonweg afgedankt door hem ten gunste van haar dochter!

Dit was niet te verteren, wist Paula. Het was onmogelijk om Victor als haar schoonzoon te accepteren nadat ze zelf intiem met hem was geweest. Ze kende hem door en door, ook lichamelijk. Het idee dat hij nu dezelfde dingen deed met Nicole maakte haar misselijk. Nooit en te nimmer zou ze hem als partner van Nicole in haar huis verwelkomen. Hadden die twee dan werkelijk geen idee wat ze haar aandeden? Iedereen zou haar uitlachen als dit bekend werd. Ze zou de risee van de buurt worden. Van de hele stad waarschijnlijk. Dit moest ze zo snel mogelijk de kop indrukken.

Ze opende haar mond een paar keer, maar er kwam geen geluid over haar lippen. Ze wilde zoveel zeggen dat ze niet wist waar ze moest beginnen. In haar hoofd buitelden de zinnen door elkaar heen.

Nicole keek haar schuw aan, ze wachtte angstig op een reactie die niet kwam. "Mam?" vroeg ze onzeker. "Zeg eens wat."

Paula haalde diep adem om al haar grieven op tafel te gooien. Wat ze wilde was woedend uitvallen en Nicole duidelijk maken dat ze nooit met Victor thuis hoefde te komen, maar op dat moment zag ze Nicole's ogen, met daarin een mengeling van angst en geluk. Geluk vanwege Victor...

Ze had Nicole nog nooit echt gelukkig meegemaakt, realiseerde Paula zich. Ze beet op haar lip. Het was of haar een blauwdruk van hun leven voorgehouden werd. De komst van Nicole had haar leven veranderd. Belemmerd, vond ze zelf. Zij kon niet, zoals andere jonge moeders, met volle teugen van haar kindje genieten. Zelf opgegroeid in kindertehuizen en pleeggezinnen wist ze niet wat moederliefde was. Ze had het niet gekregen en kon het zelf ook niet doorgeven, bij gebrek aan een voorbeeld. Gelukkig was Dick er geweest om het tekort aan liefde op te vangen, zodat ze toch een goed gezin hadden gevormd, maar dat had veel te kort geduurd. Sinds hij was weggevallen was Nicole veel op zichzelf aangewezen omdat zij haar eigen geluk boven dat van haar kind had gesteld. Ineens zag ze duidelijk waar het mis was gegaan. Mede door gebrek aan liefde en aandacht was Nicole in de prostitutie beland, iets wat Paula wel door elkaar had geschud, maar niet echt had gewekt. Door de mededeling die Nicole haar net had gedaan, gebeurde dat nu wel. Ze was

haar bijna helemaal kwijt geweest en nu dreigde dat gevaar weer. Als ze Nicole niet wilde verliezen moest ze nu echt beginnen met haar belang voorrang te geven, anders was het definitief te laat. Op dat moment steeg Paula boven zichzelf uit. Voor het eerst van haar leven zag ze het belang in om Nicole's geluk boven dat van haarzelf te stellen. Het was slikken en dit accepteren, of haar kwijt raken, dat zag ze heel duidelijk in.

"Jij en Victor," zei ze langzaam, zoekend naar woorden. "Dat overvalt me nogal."

"Vind je het erg?" vroeg Nicole gespannen. "We begrijpen dat het moeilijk voor je is."

Het woordje 'we' trof Paula recht in haar hart. 'We' was in dit geval Nicole en Victor, een wrange constatering.

"Als jij maar gelukkig bent," zei ze moeizaam. "Daar gaat het in het leven om, geluk."

"Meen je dat werkelijk?" zei Nicole verrast. Haar ogen begonnen te stralen. Ze sprong overeind en omhelsde Paula, een ongekend iets tussen moeder en dochter. "Wat geweldig dat je er zo over denkt! Ik was bang dat je er kwaad om zou worden."

"Alsof dat nut heeft," wrong Paula er uit. Ze stond op. "Enfin, je hoeft in ieder geval niet door het moment heen om je geliefde aan je moeder voor te stellen, dat scheelt. Ik moet trouwens weg, ik ben al veel te laat voor een afspraak die ik vanavond heb," loog ze. Ze moest weg voordat ze alsnog haar ware gevoelens op tafel gooide. Binnen in haar stormde het, al leek ze uiterlijk volkomen kalm. Dat kon ze wel, haar ware gevoelens verbergen.

"Een afspraakje met een man?" vroeg Nicole ondeugend.

"Ik ga snel. Het zal wel laat worden, dus wacht maar niet op me,"

ontweek Paula een antwoord op die vraag.

Ze vluchtte als het ware het huis uit. Met haar handen diep in de zakken van haar jas gestoken, haar schouders opgetrokken, dwaalde ze later door de stad. Nicole en Victor, Nicole en Victor, bij iedere stap dreunden die twee namen door haar hoofd, als een irritant melodietje dat je maar niet kwijt kunt raken. Haar dochter en haar ex. De beste ex die ze ooit had gehad, op Dick na. Vergeleken bij Victor waren de andere mannen in haar leven maar slappe aftreksels geweest.

Voor zover Paula in staat was liefde te geven, had ze oprecht van hem gehouden. Het verdriet dat ze destijds van hun breuk had gehad, voelde ze nu opnieuw, alsof het nog maar net gebeurd was. Nicole besefte niet hoe zwaar dit voor haar was en hoeveel moeite het haar had gekost om zo te reageren. Paula voelde het in haar hele lijf, als een zware spierpijnaanval na een fysieke krachtinspanning.

Toch kwam er langzaam ook een ander gevoel opzetten. Trots, zelfvoldaanheid, triomf. Ze had het toch maar gedaan. Het was haar gelukt om Nicole niets van haar ware gevoelens te laten merken en haar dochter zo gelukkig te maken. Dit had ze nooit eerder ervaren, maar het voelde bijzonder goed. Wellicht had ze hierdoor haar fouten uit het verleden een beetje goed gemaakt. Paula wist heel goed dat ze niet de beste moeder ter wereld was, maar misschien was ze toch ook niet zo slecht als ze gevreesd had. De band die ze momenteel met Nicole had was weliswaar niet hecht, maar wel goed en ze had er veel voor over om dat zo te houden. Als dat betekende dat ze haar eigen gevoelens opzij moest zetten, dan moest dat maar. Zij kwam er wel weer overheen.

Onbewust rechtte ze haar schouders. Ze was sterk, dat had ze vroeger als kind al bewezen toen ze van het ene adres naar het andere gestuurd werd. Die kracht leek verdwenen na het overlijden van Dick, maar ergens diep binnen in haar zat het nog. Ze had haar leven al omgegooid door een opleiding te volgen en zich niet meer vast te klampen aan iedere willekeurige man die in haar leven verscheen, dit kon ze ook het hoofd bieden. Ze moest!

Het duurde een paar uur voor ze zichzelf voldoende bij elkaar had geraapt om terug naar huis te durven gaan. Al bij het openen van de voordeur hoorde ze Nicole's hoge, gelukkige stem. Het was niet moeilijk te raden wie ze aan de telefoon had. Waarschijnlijk al sinds het moment dat zijzelf het huis had verlaten. Paula hing haar jas op en bleef even staan om diep adem te halen voordat ze de kamerdeur open deed.

"Ik denk dat ik op dit moment de gelukkigste vrouw ter wereld ben," hoorde ze Nicole zeggen.

De koude korst om Paula's hart leek te smelten. Haar dochter was gelukkig en dat was toch maar mede aan haar te danken! Ze had nooit kunnen denken dat dit feit haar zo'n goed gevoel zou geven. Onwillekeurig verscheen er een glimlach op haar gezicht.

SLOT

Onvermijdelijk brak het moment aan waarop Victor bij Paula zijn opwachting moest maken in zijn rol van aanstaande schoonzoon. Het was iets waar hij enorm tegenop zag, maar waar hij niet aan kon ontkomen. Dat wilde hij ook niet. Voor Nicole's geluk had hij alles over, dus moest hij door de zure appel heen bijten. In tegenstelling tot Nicole besefte hij wel heel goed hoeveel moeite het Paula gekost moest hebben om haar eigen ego opzij te zetten en hij waardeerde haar er om. Dat nam niet weg dat hij stijf van de zenuwen die bewuste avond voor de deur stond. De bos bloemen die hij onderweg had gekocht, klemde hij zo vast tussen zijn vingers dat zijn knokkels wit werden.

Gelukkig voor hem was het Nicole die de deur opende.

"Dag schat," begroette ze hem innig. Haar lippen belandden stevig op de zijne. Daarna redde ze snel de bloemen voordat hij de stelen eraf kneep. "Zijn die voor mij of voor mijn moeder?"

"Voor je moeder natuurlijk," bromde Victor. "Poging tot omkoping."

"Niet nodig," klonk Paula's stem droog vanuit de deuropening van de huiskamer. Ook zij was zo gespannen als een veer. Ze durfde hem amper aan te kijken terwijl ze de bloemen aannam en een bedankje mompelde. De gedachte aan de herinneringen die ze met deze man deelde, deden de vlammen bij haar uitslaan. Ook uit schaamte, moest ze zichzelf eerlijk bekennen. Ze was niet altijd even eerlijk tegen hem geweest en was tot het uiterste gegaan om hem te behouden, iets waar ze achteraf bezien niet bepaald trots op was.

"Dag Paula," zei Victor vormelijk. Hij schudde haar de hand, twijfelde duidelijk of hij haar een kus op de wang moest geven of niet. "Of moet ik je nu soms mama noemen?" zei hij in een poging de gespannen sfeer te doorbreken met een grapje. Meteen kon hij zichzelf wel voor zijn hoofd slaan. Dat was niet echt een gepaste opmerking geweest, dat voelde hij zelf ook wel. "Sorry," verontschuldigde hij zich dan ook.

"Het zullen de zenuwen wel zijn," zei Paula met een strak gezicht. "Wil je koffie?"

"Graag," accepteerde hij gretig, dankbaar dat ze niet verder op zijn woorden inging.

Geforceerd zaten ze later met zijn drieën bij elkaar. Nicole probeerde manmoedig het gesprek op gang te houden, maar veel medewerking kreeg ze daar niet bij. De sfeer bleef gespannen en zowel Victor als Paula wisten zich niet goed een houding te geven. Om tien uur stond hij al op. Bij het afscheid gaven ze elkaar opnieuw schutterig de hand.

"Nou, dat ging prima," zei Nicole sarcastisch. Ze was Victor achterna gegaan naar de buitendeur en leunde tegen de deurpost aan. "Op deze manier krijg ik echt zin in toekomstige verjaardagen en andere feestjes. Dat zullen vast geweldig gezellige avonden worden."

"Het komt wel goed," troostte Victor haar. "Het heeft gewoon tijd nodig. Je moeder heeft zich geweldig opgesteld naar ons toe, je kunt niet verwachten dat ze me juichend in mijn armen springt omdat ik haar schoonzoon ga worden. De eerste stap is in ieder geval gezet, van nu af aan kan het alleen maar beter worden."

"Laten we het hopen," zei Nicole somber. Ze huiverde in de fris-

se avondlucht en Victor sloeg meteen beschermend zijn armen om haar heen.

"Niet piekeren, liefste," fluisterde hij haar toe. "Je hebt al zoveel obstakels overwonnen de afgelopen jaren, deze laatste hobbel kan er ook nog wel bij. Het gaat al boven verwachting goed, het is geweldig dat ze helemaal geen bezwaar heeft gemaakt tegen onze relatie."

"Dat is waar," moest Nicole toegeven.

"Voor die houding verdient ze wel wat krediet. Ga haar nou in ieder geval niet verwijten dat ze me niet hartelijker heeft ontvangen of zo," waarschuwde hij haar. "Er komt heus nog wel een tijd dat we op een normale manier met elkaar om kunnen gaan, daar moet je op vertrouwen."

"Als wij eenmaal gaan samenwonen wil ik in ieder geval regelmatig contact onderhouden met mijn moeder," nam Nicole zich voor. "We zijn naar elkaar toegegroeid de laatste tijd, dat wil ik niet teniet doen. Ze mag niet het gevoel krijgen dat ik haar niet meer belangrijk vind nu jij in mijn leven bent."

"Dat gevoel heeft ze bij mij al, vrees ik," peinsde Victor. "Het gevoel afgedankt te zijn voor een jongere versie van haarzelf. Ik kan niet vaak genoeg benadrukken hoeveel bewondering ik voor haar houding heb in deze situatie. Ze is echt in haar voordeel veranderd."

"Sinds jij haar verlaten hebt, ja," plaagde Nicole hem. "Kan je nagaan wat een slechte invloed je op haar had."

"Schooier." Hij kuste het puntje van haar neus. Het interesseerde hem niets dat ze nog steeds in de deuropening stonden en dat alle buren hen konden zien. Dezelfde buren die hem een paar

jaar geleden als partner van Paula hadden leren kennen. De hele wereld mocht weten hoe het zat, hij hoefde zich nergens voor te schamen. "Over samenwonen gesproken. Wanneer?"

"Wat? Bedoel je...?" vroeg Nicole ademloos.

Hij knikte. "Natuurlijk. Liever nog vanavond dan morgen als het aan mij ligt."

"Zullen we het dan maar op het weekend houden?" stelde Nicole lachend voor.

"Afgesproken. En nu ga ik echt weg. We staan al langer hier buiten dan dat ik vanavond binnen ben geweest."

Ondanks die bewering volgden er nog een aantal lange zoenen voordat hij echt het tuinpad afliep en in zijn wagen stapte. Nicole zwaaide hem na totdat zijn achterlichten niet meer te zien waren, daarna danste ze naar binnen.

"We gaan samenwonen," kondigde ze stralend aan. Ze pakte Paula bij haar middel en voerde haar mee in de zelfverzonnen danspassen. "Dit weekend trek ik bij Victor in. Vind je het niet geweldig?"

Paula knikte. Eigenlijk kwam deze mededeling als een opluchting voor haar, ontdekte ze. Dan hoefde ze tenminste niet zo vaak getuige te zijn van het prille geluk van Nicole en Victor. Het zou ook best prettig zijn om het huis voor haar alleen te hebben, zodat ze niet meer steeds rekening met een thuiswonende dochter hoefde te houden. Ze had nog nooit echt alleen gewoond. Vanuit haar laatste pleeggezin was ze in het huwelijk met Dick gerold, na zijn overlijden waren er diverse andere mannen geweest en uiteraard Nicole en toen zij van huis weg was gelopen had ze Victor gehad. Die relatie was beëindigd op de dag dat Nicole

terugkwam, dus er was altijd wel iemand in huis geweest. Het zou zeker niet onplezierig zijn om met niemand rekening meer te hoeven houden en alleen aan zichzelf te denken.

De verhuizing van Nicole naar Victors flat ging bijna ongemerkt voorbij. Zoveel spullen had ze niet, dus na een paar ritjes met Victors wagen was alles over. De flat was uiteraard al volledig ingericht, al waren ze wel van plan om samen wat nieuwe meubelstukken te kopen, zodat het niet meer zozeer zijn flat was, als wel die van hen beiden. De week erna hadden ze allebei vrij genomen voor dat doel.

Nu woonde Nicole dus voor de tweede keer samen, maar beide keren waren in niets met elkaar te vergelijken. Zo gelukkig als ze nu was, was ze nog nooit eerder geweest. Haar leven was goed op de rails terecht gekomen na alle ellende die ze had meegemaakt. Van een teruggetrokken tiener, die weinig liefde ontving en het gevoel had dat ze door iedereen in de steek werd gelaten, was ze nu uitgegroeid tot een zelfbewuste vrouw met een goede baan, die het geluk gevonden had. Ze wist zich door Victor geliefd en die wetenschap deed haar stralen.

De mensen die haar kenden van haar tijd achter het industrieterrein, zouden haar nu niet meer herkennen. Ze liep rechtop en straalde zelfbewustzijn uit, heel anders dan vroeger. Van Jordy had ze nooit meer iets gezien of gehoord en daar verlangde ze ook niet naar. Ze had niet het gevoel dat ze nog iets met hem te vereffenen had of zo. Die tijd lag definitief achter haar, ze dacht er zelfs nog maar nauwelijks aan. Dat telde niet meer, het leven was goed zoals het nu was.

Paula had ondertussen meer moeite om haar draai te vinden in het lege huis dan ze verwacht had. Het was helemaal niet zo prettig om alleen te zijn, ontdekte ze. Minder prettig dan ze ingeschat had, in ieder geval. Hoewel Nicole en zij allebei hun eigen leven hadden geleid, zagen ze elkaar iedere dag en dat was nu weggevallen. Het huis was nu echt leeg en dat was behoorlijk wennen voor Paula. Haar studie had ze inmiddels afgesloten en ze werkte nu fulltime als assistent manager op de inkoopafdeling van een groot warenhuis, met goede promotiekansen. Het beviel haar uitstekend. Voor het eerst van haar leven vertrok ze iedere dag met plezier naar haar werk en was een baan niet slechts meer een middel om geld mee te verdienen. Ook zij was gegroeid door alles wat zich had afgespeeld. Ze was zelfs bijna gelukkig nu, al strekten de avonden zich leeg voor haar uit als ze moe uit haar werk kwam.

Op weer zo'n eindeloos lijkende avond ging onverwachts haar bel. Verwachtend dat het Nicole zou zijn trok Paula de deur open. Tot haar stomme verbazing stond Arend op de stoep.

"Wat kom jij hier nou doen?" vroeg ze niet echt beleefd.

"Ik ben net bij Victor en Nicole geweest en ik vroeg me af hoe het met jou gaat," antwoordde hij zonder omwegen. "Dit moet moeilijk voor je zijn."

"Valt wel mee," reageerde Paula nonchalant. Haar ware gevoelens tonen was nog steeds niet haar sterkste kant. "Wil je iets drinken?"

"Nou, als je koffie hebt, graag," accepteerde hij dat aanbod.

Blij met deze onverwachte aanloop, al was het Arend maar, zette Paula koffie. Eindelijk eens niet een hele avond alleen.

hoewel hij nog steeds haar handen vasthield, die tintelden onder zijn aanraking.

"Je hebt je tijd dus goed besteed, want ik neem aan dat je daar een opleiding voor hebt moeten volgen." Er klonk bewondering door in zijn stem, merkte Nicole met plezier op.

Dat gaf haar voldoende zelfvertrouwen om hem nu aan te kijken. De blik in zijn ogen verwarde haar en stemde haar tevens gelukkig. Dit was niet de blik van een vage kennis.

"Ik heb me vaak afgevraagd hoe het je vergaan is sinds die tijd. Of het je gelukt was erbovenuit te komen."

"Je had me kunnen bellen," waagde ze te zeggen. "Dat zou ik fijn gevonden hebben."

Victor schudde zijn hoofd. "Juist niet, dat was niet goed geweest. Ik heb je daar weggehaald, maar het was niet de bedoeling dat je aan mijn hand verder zou gaan. Dat moest je alleen doen. Het minste wat je op dat moment kon gebruiken was een man die aandacht van je vroeg, hoe graag ik ook contact had gehouden."

"Misschien kunnen we dat vanaf nu doen," zei Nicole verlegen. Normaal gesproken zou ze zoiets niet voor durven stellen, maar de manier waarop Victor naar haar keek gaf haar voldoende moed voor deze woorden.

"Dat ben ik wel van plan, ja," antwoordde hij. "Nu ik je weer gevonden heb..." Ineens stopte hij met praten en liet hij haar handen los. Hij leunde achterover tegen de oncomfortabele leuning van de stoel. "Sorry, ik loop wel erg hard van stapel nu."

"Dat vind ik niet erg," zei Nicole met een glimlach. Haar hart juichte vrolijk in haar borstkas en haar maag ging tekeer alsof er een kudde olifanten in rondliep. En dat noemen ze vlinders,

dacht ze opgetogen. Het mocht wat! Vlinders konden nooit zoveel beroering veroorzaken met hun dunne vleugeltjes.

"Jij voelt het ook, hè?" Victor constateerde het meer dan dat hij het vroeg. Zijn ogen streelden haar gezicht. "O Nicole... Weet je dat je nooit uit mijn gedachten bent geweest? Ik was al die tijd al bevangen door je foto, maar sinds ik je heb gezien zijn die gevoelens alleen maar sterker geworden. Ik begreep later pas waarom ik je per se wilde helpen, waarom je daar weg moest van mij. Het idee dat jij..." Hij beet op zijn lip. "Dat kon ik gewoon niet verdragen."

"Heb je juist geen afkeer van me vanwege die periode?" vroeg ze zacht.

"Een afkeer? Nicole, hoe zou ik ooit gevoelens van afkeer voor jou kunnen hebben?" Hij schoot naar voren en pakte opnieuw haar handen vast. Zijn gezicht was, over het tafeltje heen, nu heel dicht bij het hare. Ze kon de donkere vlekjes in zijn blauwe ogen nu duidelijk zien.

Nicole lachte breed. Ze kon bijna niet meer stil op haar stoel blijven zitten, zo gelukkig voelde ze zich ineens.

Lange tijd bleven ze zo zitten, pratend over van alles en nog wat, elkaar plagend en gewoon blij dat ze samen waren. De middag vloog op deze manier om. De bliksem was met een ferme klap bij hen binnen geslagen en ze genoten allebei van dat gevoel. Voor Nicole was het of alle stukjes in één keer samen vielen. Dit was het, dit maakte haar leven compleet. Victor! Het was bizar en tegelijkertijd heel vanzelfsprekend. Alsof het zo had moeten zijn.

Toen het drukker begon te worden in het restaurant en een blik

op haar horloge haar vertelde dat het bijna avond was, consta-teerde ze spijtig dat ze moest gaan. Haar moeder zou het eten wel zo'n beetje klaar hebben nu en ze kon het niet maken om op het laatste moment te bellen dat ze niet thuis kwam eten. Dat had ze dan eerder moeten doen, maar die gedachte was geen seconde bij haar opgekomen. Daar was de hele middag geen ruimte voor geweest in haar hoofd en haar hart.

Victor rekende af, zijn blik versomberde terwijl hij haar daarna naar buiten leidde.

"Dit was zo'n gouden middag, het spijt me dat het voorbij is," zei hij.

"Alleen de middag toch, bedoel je?" informeerde Nicole angstig. Het had zo ernstig geklonken dat de schrik haar om het hart sloeg.

"Eigenlijk wil ik je nooit meer laten gaan." Midden op straat klemden zijn armen zich ineens stevig om haar heen. "Maar dat neemt niet weg dat we een probleem hebben."

"Wat dan?" Nicole maakte zijn greep iets losser, zodat ze hem aan kon kijken.

"Je moeder," antwoordde hij eenvoudig. "We kunnen het feit niet uitvlakken dat ik een relatie met haar heb gehad en dat vind ik moeilijk. Jij lijkt totaal niet op haar, gelukkig, maar we kunnen niet om haar heen. Ik wil niet dat jullie problemen met elkaar krijgen door mij. Heeft ze inmiddels geen andere vriend?" Dat laatste klonk hoopvol, helaas moest Nicole hem teleurstellen.

"Sterker nog, ze heeft nooit meer een vriend gehad sinds jou. Ze heeft ontdekt dat er meer in het leven is dan mannen, ze volgt zelfs een opleiding management."

"Dan is ze wel veranderd," constateerde hij.

"Ten goede," bevestigde Nicole. "Een zorgzame moeder zal ze nooit worden en zichzelf wegcijferen ten bate van haar kind zit er ook niet in bij haar, maar het gaat een stuk beter tussen ons tegenwoordig. We doen best veel dingen samen, je zou ons een soort van vriendinnen kunnen noemen."

"Daar ben ik blij om, vooral voor jou. Daar wil ik niet tussen komen," zei Victor ernstig.

"Dus…?" Nicole slikte de opkomende tranen weg. "Dus hier blijft het bij, wil je dat zeggen? We beëindigen ons contact nog voordat het goed en wel begonnen is?" Haar knieën knikten, alles leek ineens donker om haar heen. Als Victor haar niet stevig vast had gehouden, was ze ongetwijfeld omgevallen, zo duizelig werd ze. De angst voor zijn antwoord belette haar normaal te ademen.

"Nee, dat kan ik niet," zei hij echter heftig. "Wat ik voor jou voel is zo hevig, zo echt. Jij bent alles wat ik altijd heb gezocht in een vrouw. Ik ga niet lichtzinnig met de liefde om, dat heb ik nooit gedaan. Ik heb altijd gewacht op de ware en voor mezelf ben ik er zeker van dat ik die nu gevonden heb. Dat wist ik al op de dag dat ik je thuis bracht, alleen kon ik toen niets met die gevoelens. Voor jou was het beter dat ik toen afstand nam en dat heb ik met liefde gedaan. Maar nu…" Hij schudde zijn hoofd. "Ik weet niet of ik dat een tweede keer op kan brengen, maar ik wil ook niet de oorzaak zijn van problemen tussen jou en je moeder net nu het beter tussen jullie gaat. Ik ben bang dat ze een relatie tussen ons niet zal accepteren. Wij zijn niet echt als vrienden uit elkaar gegaan."

"Ze heeft echt van je gehouden," zei Nicole zacht.

"Dat maakt het er niet beter op."

"Ze is mijn moeder, ondanks onze moeizame relatie houd ik van haar en ik wil haar niet kwetsen, maar ik wil ook mijn levens-geluk niet opofferen voor haar," peinsde Nicole. "Klinkt dat erg hard?"

"Nee, dat klinkt realistisch en ik ben dolgelukkig dat je dit zegt. Aan de andere kant blijft dit moeilijk. Voor haar, maar ook voor mij," zei Victor eerlijk. "Het is een bizarre situatie dat ik eerst met je moeder en nu met jou... Wat ik voor jou voel is niet te ver-gelijken met mijn verliefdheid op haar destijds, maar het klinkt toch een beetje als incest."

"Dat is natuurlijk onzin," zei Nicole beslist. "Wij zijn nooit stief-vader en stiefdochter geweest, ik heb je zelfs nooit als de partner van mijn moeder meegemaakt. Ik ben juist blij dat je haar ooit ontmoet hebt en met haar samen bent gaan wonen, dat is uitein-delijk de directe aanleiding geweest voor mijn redding uit de handen van Jordy."

"Alsof het zo heeft moeten zijn," knikte Victor. "Dat is een hele mooie manier om deze situatie te bekijken, maar ik vraag me af of Paula dat ook kan."

"Ik vertel haar voorlopig niets," besloot Nicole.

"Dat is geen oplossing, Nicole. Voor mezelf ben ik er heel zeker van dat ik je nooit meer wil laten gaan. Als jij er ook zo over denkt, zal ze het ooit moeten weten. Ik ben niet zo voor stiekem gedoe, je kunt beter met open vizier strijden," meende Victor.

"Dat ben ik met je eens, maar ik wil er eerst van genieten voor-dat er problemen van komen. Gewoon zorgeloos verliefd zijn,

elkaar goed leren kennen. Voor hetzelfde geld loopt het op niets uit tussen ons, al kan ik me dat nu niet voorstellen. Maar we kennen elkaar amper, ik kan je wel heel erg tegenvallen. In dat geval hoeft mijn moeder helemaal niets te weten."

"Zeg niet van die rare dingen." Hij glimlachte naar haar. "Jij leeft al jaren in mijn hart, niets van wat je doet kan daar verandering in brengen. Het is voor mij geen kwestie van liefde op het eerste gezicht of een fel uitslaande brand die net zo makkelijk weer uit kan doven. Ik vrees dat het serieus is."

"Daar hoopte ik al op," zei Nicole innig. Ze hief haar gezicht naar hem op en voor het eerst vonden hun lippen elkaar, midden op straat. Tientallen mensen liepen voorbij, sommige botsten zelfs tegen hen op. Eén vrouw liet luid en duidelijk haar afkeuring horen, maar Victor en Nicole merkten en hoorden niets van dit alles. Ze gingen volledig in elkaar op.

Meer dansend dan lopend vervolgde Nicole later haar weg naar huis. Ze had het voorstel van Victor om haar weg te brengen geweigerd, omdat ze niet wilde dat haar moeder hem zag. Ze kwam er niet onderuit om haar te vertellen wat er speelde, maar nu nog niet. Eerst wilde ze in stilte genieten van dit geluk dat zo onverwacht in haar leven was verschenen. Dit was zo fantastisch, ook als het niet Victor was geweest had ze het eerst nog even voor zichzelf willen houden. Ze had het gevoel dat haar voeten de grond niet eens raakten, het leek wel of ze zweefde. Puur geluk had bezit genomen van haar lichaam, haar hoofd en haar hart.

Sinds het overlijden van haar vader, inmiddels tien jaar geleden, had ze een dergelijk geluksgevoel niet meer ervaren. Ook niet

"Dit was toch een ontwikkeling die niemand had kunnen voorzien," zei Arend toen ze tegenover elkaar zaten. "Victor en Nicole. Levens kunnen verrassende wendingen nemen, dat blijkt wel weer."

"Ze passen goed bij elkaar," zei Paula kalm terwijl ze in haar koffie roerde.

"Maakt dat het makkelijker voor jou?" vroeg hij vorsend.

"Niet altijd, maar het maakt het in ieder niet moeilijker. Ik ken Victor als een goede, integere man die door het vuur gaat voor de mensen waar hij van houdt. Een betere partner kan ik me voor mijn enige dochter niet wensen."

"Ik vind het heel knap hoe je reageert," zei Arend ronduit. "Sorry dat ik het zeg, maar eigenlijk had ik verwacht dat je hysterisch op het nieuws zou reageren om vervolgens huilend in een hoekje weg te kruipen als het grote slachtoffer in dit verhaal."

"Ik ook," zei Paula droog.

Ze keken elkaar aan en schoten samen in de lach. De blik die Arend haar toewierp was vol bewondering, zag Paula tot haar genoegen. Op dat gebied was ze niet veel gewend en het gaf haar een plezierig gevoel. Heel zacht begon er onderin haar buik iets te roeren, iets wat zich al heel lang stil gehouden had. Terwijl ze haar koffie dronk nam ze hem tersluiks op. Hun ogen ontmoetten elkaar en ze bloosde als een jong meisje. Haar leven was zeker niet zonder obstakels verlopen, deels door haar eigen schuld, maar wie weet wat de toekomst nog aan goeds zou brengen.

Ze keek er naar uit.

toen ze Jordy net leerde kennen en verliefd op hem werd. Dit was zo anders, niet met elkaar te vergelijken. Ze had veel ellende en tegenslagen gehad, maar het feit dat die hier naar toe geleid hadden, maakte het allemaal dubbel en dwars waard. Ze zou het met liefde allemaal nog een keer doorstaan, als haar aan het eind dan maar dezelfde beloning wachtte. Victor!

Nicole wist niet dat het mogelijk was om zoveel van iemand te houden, en dat terwijl ze hem eigenlijk amper kende. Ze had hem slechts één keer eerder gezien, maar die ene keer had schijnbaar zoveel indruk op haar gemaakt dat dit het gevolg was. Hij had trouwens al bewezen dat hij eerlijk en betrouwbaar was, ze hoefde hem geen maanden te kennen om daar achter te komen. Zijn ware karakter had hij haar al getoond op het moment dat hij haar bij Jordy weg had gehaald.

De kiem voor haar gevoelens van vandaag waren toen al gelegd, begreep ze nu. Hij was nooit uit haar gedachten verdwenen. Onbewust was hij de drijfveer geweest die haar ertoe had aangezet haar leven volledig om te gooien en er iets van te maken. In eerste instantie omdat ze zich daartoe verplicht voelde na alle moeite die hij voor haar had gedaan, later omdat ze wilde dat hij trots op haar zou zijn. Tegenover hem hoefde ze zich ook niet te schamen voor haar verleden. Hij wist overal van en veroordeelde haar niet.

"Je bent laat," begroette Paula haar nors. "Als het eten verpieterd is, is het niet mijn schuld."

"Ik was de tijd vergeten," verontschuldigde Nicole zich.

Ze aten zwijgend, daarna kondigde Paula aan dat ze weg moest. "Ik heb een afspraak met een collega, ik weet niet hoe laat het wordt."

Nicole durfde niet te vragen of het een mannelijke collega betrof, maar ze hoopte het wel. Als haar moeder een nieuwe liefde tegen zou komen, was het wellicht makkelijker om haar van Victor te vertellen.

Zodra Paula het huis had verlaten, toetste ze Victors nummer in. Ze kon het niet laten, ze moest gewoon zijn stem even horen. Bevestiging krijgen dat alles echt gebeurd was vanmiddag en het niet slechts een mooie droom was.

Victor drong er opnieuw op aan dat ze het aan Paula moesten vertellen. "Ik voel me hier erg ongemakkelijk bij, bovendien heb ik liever dat ze het van onszelf hoort dan van een ander. Ik ben niet van plan om jou te verstoppen voor de buitenwereld uit angst dat het doorverteld wordt," waarschuwde hij. "Integendeel zelfs. Ik wil met je pronken en je aan iedereen voorstellen die ik ken. De hele wereld mag weten dat wij bij elkaar horen."

Nicole lachte hardop. Wat klonk dit heerlijk! Dat wilde ze niet onmiddellijk laten overschaduwen door bijkomende problemen.

"Twee weken," bedong ze. "Over twee weken vertel ik het, tot die tijd blijft het ons geheim. Twee weken om van elkaar te genieten zonder dat de buitenwereld zich ermee bemoeit. Hoe klinkt dat?"

"Te mooi om te weigeren," gaf hij toe. "Oké, twee weken, langer niet. Ik heb een vreselijke hekel aan stiekem gedrag. Als ik je moeder zou zijn, zou ik het liever weten dan dat het achter mijn rug om gebeurt."

"Gelukkig ben jij mijn moeder niet," zei Nicole met een glimlach. "Dat zou pas echt rare situaties opleveren. Ze is trouwens uit vanavond. Heb jij iets te doen?"

"Is dat een uitnodiging?" wilde hij weten. Zijn stem klonk geamuseerd.

"Wat denk je zelf? Ik kom nu naar je toe." Met een brede lach verbrak ze de verbinding. Die twee weken ging ze volledig uitbuiten, daarna zagen ze wel weer verder.

HOOFDSTUK 20

Het werden twee gouden weken voor Nicole en Victor, waarbij het ze lukte om alle gedachten aan bijkomende zaken naar de achtergrond te verbannen in de uren dat ze elkaar zagen. Ze leerden elkaar goed kennen in die korte tijd. Urenlang konden ze pratend doorbrengen, stevig in elkaars armen op Victors comfortabele bank. Ze fantaseerden daarbij over de toekomst, legden hun ziel en diepste gedachten voor elkaar bloot en vertelden elkaar alles over hoe hun levens waren geweest voordat ze elkaar hadden leren kennen.

Voor Nicole was dit een droom die uitkwam. Op Jordy was ze echt verliefd geweest destijds, maar wat ze voor Victor voelde ging veel verder dan dat. Hij was haar andere helft, dat was nog de beste beschrijving. Met Victor samen was ze compleet. Ze had nooit verwacht dat ze dit nog eens mee zou maken na de deceptie die Jordy haar had bezorgd. Lang was ze ervan overtuigd geweest dat ze nooit meer een man zou kunnen vertrouwen. Victor was echter de uitzondering op die regel. Hem vertrouwde ze blindelings, mede veroorzaakt door het feit dat hij degene was die haar weg had gehaald uit een ellendige situatie.

Toch was dat laatste niet de oorzaak van haar affectie, daar was Nicole na een grondig zelfonderzoek achter gekomen. Het was geen dankbaarheid wat haar in zijn armen dreef. Haar gevoelens voor Victor stonden los van wat hij gedaan had, al had hij daardoor wel zijn karakter getoond. En juist dat karakter was zo ontzettend belangrijk voor Nicole. Hij was zo lief, begripvol, verstandig en kon zich zo goed inleven in anderen dat ze onmo-

gelijk niet van hem kon houden.

Ze klampte zich niet aan hem vast, zoals ze wel bij Jordy had gedaan. Nicole had veel geleerd van die periode, lessen waar ze haar hele leven profijt van zou hebben. Victor was haar grote liefde, maar niet haar plechtanker. Hij was een aanvulling in haar leven, geen invulling. Ze zou zichzelf nooit verloochenen voor hem, daar was ze nu te sterk voor. Niet dat dat nodig was overigens. Victor hield juist van haar zoals ze was, inclusief alles wat ze mee had gemaakt en had gedaan. Naar hem toe hoefde ze zich niet te verdedigen voor haar verleden. Hij respecteerde haar en had bewondering voor haar kracht, ze hoefde niet bang te zijn dat hij die door manipulaties in zou dammen.

Dit alles overpeinsde ze terwijl ze met de armen om elkaar heen geslagen langs de zee liepen. Het mooie weer had veel mensen naar het strand gelokt. Om te zwemmen was de temperatuur nog te laag, al waagde een enkeling zich toch in het koude water. Overal lagen groepjes mensen te zonnen, kinderen speelden in het zand en tieners zaten luidkeels te kletsen boven het geluid van hun meegebrachte radio's uit.

"Ik verbaas me iedere dag over het geluk dat me ineens ten deel is gevallen," zei Victor terwijl hij haar extra stevig tegen zich aan drukte. "Als ik 's morgens wakker word ben ik altijd bang dat ik het slechts gedroomd heb."

"Dat heb ik ook," zei Nicole verrast. "Lange tijd heb ik 's morgens bij het ontwaken gedacht dat ik nog bij Jordy was en was de werkelijkheid heerlijk. Dat heb ik nu niet meer, toch duurt het iedere dag even voor ik me realiseer dat jij echt bent. Dat je bestaat en dat je van mij bent. Het is af en toe zo onwerkelijk,

terwijl het tegelijkertijd voelt alsof ik je al jaren ken."

"Ik geloof stellig dat we voor elkaar gemaakt zijn," knikte Victor. "Als je kijkt naar alle gebeurtenissen die hieraan vooraf zijn gegaan, heeft het gewoon zo moeten zijn."

"Je bedoelt dat toeval niet bestaat?"

"Dat heb ik altijd onzin gevonden, maar nu denk ik daar anders over. Van die duizenden vrouwen die ingeschreven staan op datingsites, moest ik jouw moeder tegenkomen om jou uiteindelijk te vinden. Het gekke is dat ik nooit zeker van je moeder ben geweest en dat ik toch met haar in zee ben gegaan, iets wat helemaal niets voor mij is. Nu begrijp ik waarom."

"De stukjes zijn wel op hun plaats gevallen, toch gaat het me te ver om te denken dat dit allemaal voorbestemd was. Dat klinkt alsof wij als mensen geen eigen verantwoordelijkheid hebben. Sommige dingen overkomen ons, voor andere kiezen we echter bewust," meende Nicole.

"Ik vind mijn theorie beter klinken," lachte Victor. "Het is tevens een mooi excuus voor de relatie die ik met je moeder gehad heb. Ik blijf dat moeilijk vinden. Van moeder op dochter, het klinkt zo banaal. Van een ander zou ik het waarschijnlijk veroordelen, maar nu het mezelf overkomt lijkt het volkomen logisch."

"Ik ben wel blij dat ik jou destijds bewust ontliep," bekende Nicole. "Nu heb ik jou en mijn moeder nooit als partners meegemaakt, wat het voor mij een stuk makkelijker maakt. Iemand die je eerst als een soort van vader beschouwt, kan niet ineens je vriend worden, denk ik. Nu heb ik je als persoon leren kennen, los van mijn moeder."

Ze struikelde bijna over een kind van een jaar of drie, dat als

een pijl uit een boog voor haar langs rende richting zee, achterna gezeten door zijn verschrikte moeder.

"Ho, jochie. Doe je voorzichtig?" lachte ze. Ze knielde bij het kind neer en hield hem vast tot de moeder hijgend voor hen stond.

"Dank je wel, hij ging er ineens vandoor. Kom, Timo, eerst je zwembroek aan, dan gaan we het water in," zei de vrouw terwijl ze het kind oppakte.

"Daar lag je toch bijna met je snufferd in het zand," plaagde Victor.

"Jij had me vast wel opgevangen," dacht Nicole onbekommerd.

"Altijd," bezwoer hij haar. "Hoe vaak je ook valt, ik zal er altijd zijn om je te behoeden."

Het zware gespreksonderwerp van daarnet was van de baan, de stemming sloeg om naar vrolijke uitgelatenheid. Hand en hand renden ze langs de branding, ze spetterden elkaar nat en vielen uiteindelijk moe op het zand neer.

"Wat een heerlijke dag is dit," genoot Nicole. "Vanaf mijn tiende heb ik geen vriendjes of vriendinnetjes meer gehad, dus dit is me volkomen vreemd. In je eentje doe je dit soort dingen niet, ik zat meestal in mijn kamertje."

"Het leven wordt nog veel mooier dan dit," beloofde Victor haar. "We gaan er samen van genieten, Nic."

"Samen." Ze proefde dat woord op haar tong. Het smaakte zoet en klonk als een toverformule.

Nicole had teveel meegemaakt in haar jonge leven om te geloven dat dit geluk eeuwig zou duren en nooit barstjes zou gaan vertonen. Ze was echter ook realistisch genoeg om te beseffen dat het geen nut had om zich zorgen te maken over alles wat er

eventueel kon gaan gebeuren. Je had het leven niet altijd zelf in de hand, dat wist ze, maar zolang het goed was moest je er van genieten, dat had ze wel geleerd. En genieten deed ze, met volle teugen.

Het einde van deze heerlijke, onbezorgde dag kwam veel te snel. Nadat ze samen ergens gegeten hadden bracht Victor haar thuis. Op de hoek van de straat, uit het zicht van hun huis, stopte hij zijn wagen.

"Komend weekend gaan we de confrontatie met je moeder aan," zei hij beslist. "We kunnen het niet langer uitstellen, dat is niet fair."

"Ik ben wel bang voor haar reactie," bekende Nicole. "De kans is niet denkbeeldig dat het opnieuw tot een breuk komt tussen ons en dat zou ik heel erg vinden. We beginnen elkaar net te waarderen."

"We gaan samen met haar praten," beloofde Victor. "Dan sta je in ieder geval sterker dan in je eentje."

Na nog een laatste, lange zoen namen ze afscheid van elkaar.

Paula was in de keuken bezig, ze keek op bij Nicole's binnenkomst en zag hoe bruin, stralend en gelukkig ze eruitzag. Ze vermoedde al dat Nicole een vriendje had en dit beeld van haar dochter bevestigde dat. Haar ogen glansden en haar mond was opgekruld tot een dromerige glimlach.

"Ik heb zo'n heerlijke dag gehad," jubelde ze ten overvloede.

"Dat is je ook aan te zien. Volgens mij ben je verliefd," zei Paula. "Vertel eens, ken ik hem?"

Nicole bleef stokstijf staan bij deze directe vraag. De waarheid omzeilen was nog iets anders dan regelrecht liegen, iets wat ze